W9-CZZ-601

THE HEATH-CHICAGO GERMAN SERIES

A STANDARD GERMAN VOCABULARY

OF 2932 WORDS AND 1500 IDIOMS

ILLUSTRATED IN TYPICAL PHRASES AND SENTENCES

BY

C. M. PURIN, PH.D.
Professor of German
Director, University of Wisconsin
Extension Division, Milwaukee Center

D. C. HEATH AND COMPANY
BOSTON

COPYRIGHT, 1937,
BY D. C. HEATH AND COMPANY

No part of the material covered by this copyright may be reproduced in any form without written permission of the publisher.

5 D 8

PRINTED IN THE UNITED STATES OF AMERICA

PREFACE

THE USEFULNESS of frequency word lists in the learning and teaching of foreign languages is no longer questioned. Scores of new texts constructed on basic word counts have appeared within recent years. A standardized word book enables schools and colleges to teach a definite and uniform vocabulary, regardless of texts used. The labor of learning is thus greatly lightened and the transfer from one institution or section to another made easier.

In preparing the present word and idiom book, a careful study was made of all the existing frequency counts, more especially of Wadepuhl-Morgan's official A.A.T.G. Dictionary [1] and of the New York State Basic German Word and Idiom List prepared under the chairmanship of Curtis D. Vail.[2] The present word book contains 2932 alphabetically listed words, approximately 2000 derivatives and some 1500 idioms. It should, therefore, amply meet the basic vocabulary needs of four-year courses in secondary schools and of elementary and intermediate courses in colleges covering the first four or five semesters.

In checking the material of this word book against the New York List, as well as against the A.A.T.G. List, the following items were considered unnecessary for inclusion:

1. Proper names (Berlin, Hamburg, Thüringen, Goethe, etc.).
2. Names of the months.
3. Personal and possessive pronouns and possessive adjectives.
4. Numerals (ordinals and cardinals).
5. Words of foreign extraction identical or nearly so in form and identical in meaning in German and in English (Tennis, General, Geographie, Semester, Telephon, Museum, etc.).
6. The various forms of the definite and indefinite articles.

[1] *Minimum Standard German Vocabulary* prepared for the American Association of Teachers of German. F. S. Crofts & Company, New York. 1934.

[2] The University of the State of New York Press. 1933.

7. Compounds the component parts of which are easily understood (Haustür, Klassenzimmer, Luftschiff, etc.).
8. A considerable number of nouns and adjectives with the negative prefix un=, the meaning of which is quite obvious to the student from the stem word given; e.g. Sinn, *sense,* Unsinn, *nonsense;* möglich, *possible,* unmöglich, *impossible,* etc.

I have included a small number of useful words not contained in the two above-mentioned main word lists and omitted others that seemed of lesser value. These additions and omissions were based on suggestions received from teachers of long experience.

The following points should be noted:

1. Of the first thousand most frequent words listed in the A.A.T.G. Dictionary, 967 are included in this book. The first 500 most frequent words are marked by a double asterisk and the remainder by a single asterisk. The former include the 400 words given by Arnold A. Ortmann as being common to twelve of the frequency word lists which he examined.[1]

2. The English translation of words is added in all cases, except where a German synonym or a paraphrase seemed sufficient to make the meaning clear.

3. Strong verbs, as well as irregular weak verbs, are presented with their principal parts. The principal parts of the compound strong verbs and of compound irregular weak verbs should be looked for under the simple verb. For the convenience of the student, however, the Ablaut vowels of these compounds are given.

4. To aid the student in the retention of a word, the English cognate is given in quite a number of instances in parentheses.[2]

5. The most frequent derivatives appear in brackets after the basic words. Teachers are urged to stress the technique of word derivation by means of prefixes, suffixes, Umlaut and Ablaut. An excellent guide in vocabulary building will be found in Hagboldt's book *Building the German Vocabulary* (Heath-Chicago).[3]

[1] German Quarterly, May, 1935.

[2] Reference: Friedrich Kluge, *Etymologisches Wörterbuch der deutschen Sprache.*

[3] For a concise and crystal-clear presentation of this and other basic principles of learning and teaching of modern languages, see *Language Learning* by Peter Hagboldt, University of Chicago Press.

6. The specific feature of this word list, and one that should prove of great pedagogical value, is the wealth of examples. Through them students are led to learn words in meaningful phrases or sentences. It will be found that after some words no illustrations are given. These words denote concrete things or they have but one meaning (e.g. Apfel, Arbeit, Axt, Kuh, etc.), hence students should have no difficulty in forming sentences with them. In a great many cases, however, a word may have several meanings, hence the necessity for illustrative phrases and sentences. Obviously not all meanings of a word could be illustrated within the limits of this word book. Accordingly only what seemed to be the most frequent and useful meanings were selected.

Suggestions for the Use of this Word Book

Teachers and students who have been using graded German readers such as the Hagboldt-Morgan-Purin Series [1] have been much pleased with the results obtained. Those who prefer to read texts that have not been simplified can use this word book in the following manner:

Request that students underline on every page of the text the words marked in this word book with an asterisk or double asterisk. Then ask them to memorize the sentences in which these words occur, and have them refer to this word book for additional illustrations and idiomatic constructions. Thus set a definite task. The same procedure may be used with the unstarred word material at the higher levels of instruction. Then use appropriate objective tests to ascertain the degree of achievement. This device is being employed at some institutions with marked success.

I wish to express my sincere appreciation to Mr. Rudolf Voigt of Milwaukee for assistance rendered in the checking of word lists. More especially I am indebted to Professor Peter Hagboldt of the University of Chicago for a critical reading of the first draft of the manuscript and many valuable suggestions.

C. M. P.

University of Wisconsin
Extension Division, Milwaukee

[1] The Heath-Chicago Series, D. C. Heath & Company.

TO THE STUDENT

Your chief aim in taking up the study of German is to acquire the ability to read interesting non-technical literature of average difficulty with little or no help from a dictionary. You may also wish to understand and to speak and write German in its simplest forms.

Since language consists of words, you should commit to memory the first thousand most frequent basic words by learning them in a phrase or sentence. To this end you will find this word book exceedingly helpful.

And here is how to proceed: In the text that you are reading, underline the words marked by an asterisk in this word book. If you like the sentence in which the underlined word occurs, memorize it; if not, choose the sentence given here under the specific word, and do not fail to learn as many idioms and proverbs as you can. Memorizing sentences will also help you to acquire the proper word order and other valuable correct language habits.

EXPLANATIONS

NOTE: The alphabetized words in this list are treated as basic. They are printed in heavy type.

1. Parentheses are used to enclose or indicate:
   (*a*) cognates; e.g. bar (*cog.* bare).
   (*b*) stem words or merely related words; e.g. behaupten (Haupt)
   (*c*) government of cases by prepositions or verbs; e.g. mit (*dat.*)
   (*d*) equivalent words, phrases, translations, etc.
   (*e*) foreign sources from which the German word is derived; e.g. (*Fr.*) = French; (*Lat.*) = Latin; (*Gr.*) = Greek; (*Ital.*) = Italian.
   (*f*) ablaut vowels of strong verbs; e.g. beziehen (o, o).
   (*g*) (*adv.*) = adverb; (*conj.*) = conjunction.
   (*h*) (s.) indicates that the perfect tenses are conjugated with sein; (h.u.s.) indicates that either haben or sein are used as auxiliaries.
2. Other symbols used:
   G. = das Gegenteil; usw. = und so weiter
   cf. = compare *or* refer to; *pl.* = plural
3. Brackets are used to enclose derivatives; e.g. ärgern [ärgerlich]
4. The genitive ending of masculine and neuter monosyllabic strong declension nouns is given as –es, though –s is also possible; of polysyllabic nouns = –s, although the ending –es is also possible (excepting nouns of the first declension). In words ending in s, ß, sch, tz, x the ending –es becomes mandatory.

A STANDARD GERMAN VOCABULARY

A

***ab** off, away; down; ab Montag from Monday on; ab und zu = hin und wieder now and then; auf und ab to and fro, up and down; von jetzt ab = von nun an, von dieser Zeit an from now on

der **Abend, –s, –e evening [das Abendbrot = das Abendessen dinner, supper]; abends = am Abend evenings, in the evening; eines Abends one night; gestern abend last night; guten Abend! good evening! heute abend tonight

das **Abenteuer**, –s, —, adventure [der Abenteurer adventurer]

****aber** = jedoch but, however

der **Aberglaube**, –ns (Glaube) superstition

abermals (Mal) = noch einmal, wieder again, once more

der **Abgang**, –s, ⸚e (ab=gehen) departure

ab=hangen (ä, i, a) depend on *or* upon [der Abhang slope; abhängig dependent; sloping; unabhängig independent; die Abhängigkeit dependence]
Das hängt nicht von mir ab, sondern von ihm.

ab=lehnen decline, refuse, reject
Mein Freund lehnte die Einladung ab.

die **Abnahme** (ab=nehmen) taking off, decrease
Wenn man eine Dame grüßt, nimmt man den Hut ab.
Der Mond nimmt ab (is waning).

der **Abschied**, –s, –e (scheiden) = die Trennung leave-taking, departure; dismissal
Beim Abschied versprach er, uns bald zu schreiben.

die **Abschrift**, –en (ab=schreiben) copy

*die **Absicht**, –en (ab=sehen) = der Plan intention
Ich hatte die Absicht, dich zu besuchen.

ab=stäuben (Staub) dust off

abwärts *see* wärts downward
Der Weg führte abwärts zu einem Bache.

abwesend absent; G. anwesend present [die Abwesenheit absence]
Wie viele Schüler waren gestern abwesend?

ab-ziehen (o, o) (h. u. s.) march off; deduct; pull off
Die Soldaten sind von der Stadt abgezogen.
Man hat den Betrag von seinem Gehalte abgezogen.

der **Abzug,** –s, ⸗e (ab-ziehen) marching off; deduction; copy

***ach**! ah! oh! alas! Ach was! Nonsense!

die **Achsel,** –n shoulder; die Achseln (oder mit den Achseln) zucken shrug one's shoulders

***achten** pay attention; esteem [die Acht care; banishment; die Achtung respect, esteem; attention]
Er achtet immer darauf (= sieht zu, paßt auf), daß er seinen Teil bekommt.
Der Mann wird von allen hoch geachtet.
Nimm dich in Acht! Be careful! Take care!

acht-geben (i, a, e) pay attention
Gib acht (= paß auf, sei aufmerksam) auf alles, was er sagt.

*der **Acker,** –s, ⸗ = das Feld field, soil, acre [der Ackerbau agriculture; beackern = bebauen cultivate]
Der Landmann arbeitet auf seinem Acker.

die **Ader,** –n vein, artery

der **Adler,** –s, —, eagle [das Adlerauge sharp eye, eagle's eye; die Adlernase aquiline nose]
Der Adler ist ein Raubvogel (bird of prey).

der **Advokat,** –en, –en = der Anwalt, der Rechtsanwalt lawyer, attorney
Unser Prozeß wird von einem berühmten Advokaten geführt.

der **Affe,** –n, –n ape, monkey [der Affenkäfig monkey cage]
Die Affen ahmen gerne die Menschen nach.

ahnen foresee, anticipate [die Ahnung foreboding, anticipation, idea]
Wer hätte das wohl geahnt? Who could have thought it (foreseen it)?
Es ahnt mir nichts gutes. I have a foreboding of evil.

***ähnlich** = gleich like, similar [die Ähnlichkeit resemblance, similarity]
Das sieht dir ähnlich! That's just like you!
Sie sieht ihrer Mutter ähnlich. She resembles her mother.
Mir ist es ähnlich ergangen. I have had similar experiences.

****all** all; alles andere everything else; alle beide both; alle Jahre, Tage usw. every year, day, etc.; alle vier Jahre usw. every fourth year, etc.; in aller Eile in great haste; vor allem first of all, above all else
Das Brot ist alle. The bread is all gone.

****allein** (*adj.* & *adv.*) alone
Sind Sie ganz allein, oder ist noch jemand da?

****allein** (*conj.*) = aber but, however
Ich wollte das Buch kaufen, allein ich hatte kein Geld dazu.

***allerdings** = freilich to be sure
Du bist allerdings etwas spät gekommen.

allerlei (*see* -erlei) all sorts of
Es waren allerlei Leute da.

allerletzt very last; zu allerletzt finally, lastly
Zu allerletzt gab es Kaffee und Kuchen.

allgemein general, universal; im allgemeinen in general
Ihre Antwort ist zu allgemein.

allmählich = mit der Zeit, nach und nach gradual, little by little
Allmählich wurde es dunkel (grew dark).

****als** (*adv.*) than; (*conj.*) when, as soon as; als ob as though; als wenn as if; nichts als nothing but
Er ist älter als ich.
Als ich nach Hause kam, war es 6 Uhr.

****also** thus, so; hence, therefore, consequently, then
Ich hatte kein Geld, also (hence) konnte ich das Buch nicht kaufen.
Du warst also nicht zu Hause? You were not at home, then?

****alt** (⸗) old, secondhand, ancient, antique; stale; G. jung young [der Alte old man; die Alte old woman; das Alte old conditions, ancient customs; altern grow old, age]
Er läßt es beim alten. He leaves the matter as it is.
Zu Hause bleibt's beim alten. There is no change at home.

das **Alter,** -s (alt) old age; G. die Jugend youth; von Alters her from ancient times, of old
Er starb in hohem Alter (advanced age).

das **Altertum,** -s, ⸗er (alt) ancient time, antiquity; im Altertum = in alten Zeiten

*das **Amt,** -es, ⸗er office, courthouse, district court [amtlich official]; seines Amtes walten, sein Amt verwalten perform the duties of one's office; von Amts wegen officially

****an** (*dat.*) at, near, by, on; (*acc.*) to, up to, on; an (und für) sich in (and by) itself, in the abstract; von jetzt an from now on
Wir sind gut daran. We are well off.
Jetzt komme (bin) ich daran. It's my turn now. I am next.
Woran denken Sie? What are you thinking of?
Woran glauben Sie? What do you believe in?
Der Tisch, woran (= an dem) er saß . . .

das **Andenken,** -s remembrance, keepsake
Jedermann soll das Andenken seines Vaters ehren.
Er kaufte seiner Braut ein Andenken.

ander (ändern) other [and(er)erseits on the other hand]; alles andere everything else; einen Tag um den andern every other day
Damit ist es etwas ganz anderes. That is a different matter entirely.

***ändern,** verändern (*cog.* other) alter, change [die Änderung alteration]
Er hat seine Meinung darüber geändert.

anders (ändern) otherwise, differently

****an=fangen** (ä, i, a) = beginnen begin; G. enden, beenden end [der Anfang beginning]
Wann fängt die Schule an? = Wann beginnt die Schule?

an=fertigen (fertig) make, manufacture
Der Tischler fertigt die Möbel an.

angebracht (an=bringen) suitable, proper, appropriate [unangebracht out of place]; gut angebracht well placed
Diese Bemerkung war nicht angebracht.

an=gehören = gehören belong to [die Angehörigen relatives]

****angenehm** = was einem gefällt oder Freude macht agreeable
Wir haben einen sehr angenehmen Abend bei ihm verbracht.

der **Angriff**, –s, –e (an=greifen) attack

*die **Angst**, ⸗e = die Furcht (*cog.* anguish) fear, anxiety, concern [ängstigen alarm, frighten; sich ängstigen be afraid]
Das Kind hatte Angst vor Donner und Blitz (was afraid of thunder and lightning).
Es ist (wird) ihm Angst. He is afraid.

ängstlich (Angst) = furchtsam anxious, uneasy; timid [die Ängstlichkeit anxiety, timidity]
Es ist mir ängstlich zumute. I feel afraid.

an=halten (ä, ie, a) stop; sue for, ask for
Das Auto hielt an, und wir stiegen ein.
Der junge Mann hielt bei dem alten General um die Hand seiner Tochter an (asked for the hand of his daughter).

an=klagen = beschuldigen accuse [der Angeklagte defendant; die Anklage accusation, impeachment]
Der Mann wurde des Diebstahls angeklagt.

an=kommen (a, o) (s.) arrive
Wann sind Sie angekommen?
Es kommt darauf an, ob . . . It depends upon whether . . .
Es kommt auf jeden Pfennig an. It is a matter of pennies.

die **Ankunft**, ⸗e (an=kommen) arrival

die **Anmut** charm, grace, gracefulness [anmutig charming, graceful]; ein Mädchen von großer Anmut

die **Annahme**, –n (an=nehmen) assumption, acceptance

an=nehmen (i, a, o) accept, assume, suppose; adopt
Er hat das Geld angenommen.
Warum nehmen Sie an (= warum denken Sie), daß er krank war?
Sie haben das kleine Mädchen an Kindes statt (as their child) angenommen.

die **Anregung**, –en (an=regen) instigation, suggestion

das **Ansehen**, –s respect; appearance; reputation; glance [an=sehen

look at; ansehnlich considerable; good looking]; beim flüchtigen Ansehen at first glance; allem Ansehen nach judging by appearances, on the face of it
Er steht bei seinen Mitbürgern in hohem Ansehen.
Ich kenne ihn von Ansehen (by sight).

die **Ansicht**, –en (an=sehen) view, opinion; nach seiner Ansicht oder seiner Ansicht nach in his opinion
Die Ansichten darüber sind verschieden.

der **Anspruch**, –s, ⁼e = das Anrecht, das Recht auf etwas claim (to), pretension; title [anspruchsvoll pretentious]; Anspruch machen = beanspruchen lay claim to
Ich mache keinen Anspruch auf das Geld.

die **Anstalt**, –en institution; preparation [die Badeanstalt bathing establishment; die Erziehungsanstalt educational institution; die Irrenanstalt insane asylum]; Anstalten treffen (= machen) make arrangements for
Machen Sie keine solche Anstalten! Do not go to so much trouble!

der **Anstand**, –s (stehen) grace; decency; pleasing deportment; objection [anständig decent; anstandshalber for the sake of decency]
Er benahm sich mit großem Anstand.

anstatt = statt, statt dessen, an Stelle dessen instead of
Anstatt des Geldes gab er mir einen guten Rat.

an=strengen exert [die Anstrengung exertion, effort]
Er hat sich in dieser Sache umsonst angestrengt.

die **Antwort**, –en = die Erwiderung, die Entgegnung answer
Darauf habe ich keine Antwort.

****antworten** = erwidern, entgegnen answer, reply [beantworten answer]
Antworten Sie auf meine Frage!

an=wenden (a, a) apply (a rule); use (money); viel Mühe anwenden make great effort (*also:* wendete an, angewendet)

anwesend present; G. abwesend absent [die Anwesenheit presence]
Bei dem Bankett (banquet) waren viele Damen anwesend.

an=ziehen (o, o) put on; attract [sich anziehen dress; anziehend attractive; die Anziehung attraction]
Sie zieht ihr neues Kleid an.

der **Anzug**, –s, ⁼e (an=ziehen) suit (of clothes)

***an=zünden** = in Brand stecken, Licht machen kindle, light, ignite

der **Apfel, –s, ⁼, apple

*die **Apfelsine**, –n orange
Die Apfelsine oder Orange ist eine Frucht.

der **Appetit**, –s appetite

die **Arbeit**, –en work

**arbeiten work, labor, toil [der Arbeiter worker, laborer; arbeitslos unemployed, out of work]
Woran (at what) arbeitet er jetzt?

der **Architekt**, –en, –en = der Baumeister architect

arg (⁻) bad, wicked; gross
Der Sturm hat argen Schaden angerichtet (caused).

der **Ärger**, –s = die Wut, der Zorn anger, vexation, irritation
Vor Ärger faßte er den Mann am Kragen und warf ihn zur Tür hinaus.

ärgern make angry, vex, irritate [ärgerlich angry]; sich über etwas oder jemanden ärgern be annoyed about something *or* with someone
Das ärgert mich (= das macht mich wütend). That makes me angry.

****arm** (⁻) poor, without means

der **Arm, –es, –e arm

die **Armee**, –n = das Heer, die Soldaten eines Landes army

die **Armut** (arm) poverty; G. der Reichtum wealth

*die **Art**, –en = die Weise kind, manner, way; sort, species
Es gibt viele Arten von Pflanzen (= allerlei, vielerlei Pflanzen).
Auf diese Art (= auf diese Weise) werden wir nie fertig.

artig well-behaved, civil, polite; G. unartig ill-behaved
Dieses Kind benimmt sich sehr artig.

der **Artikel**, –s, —, article, commodity
Vergessen Sie nie, den Artikel vor das Hauptwort zu setzen!
Er hat einen langen Artikel für die Zeitung geschrieben.

*der **Arzt**, –es, ⁻e = der Doktor physician [die Arznei medicine; ärztlich medical]

die **Asche** ashes
Der ungeheure Brand legte die halbe Stadt in Asche.

der **Ast**, –es, ⁻e branch (of a tree), bough
Der Baum hat einen Stamm sowie viele Wurzeln, Äste, Zweige und Blätter oder Nadeln.

***atmen** breathe [der Atem breath]; Atem holen take a (deep) breath
Er ist noch am Leben, er atmet noch.

****auch** also, too; even; was auch no matter what; wenn auch even if; wie auch no matter how; wohin auch wherever

****auf** up, upon, on (*dat. or acc.*); auf daß so that; auf deutsch, englisch in German, English; auf drei Jahre, Tage usw. for three years, days, etc. (to come); auf und ab up and down, to and fro
Lege das Buch auf den Tisch (darauf).
Es liegt auf dem Tisch (darauf).
Der Tisch, worauf (= auf dem, auf welchem) das Buch liegt . . .

der **Aufenthalt**, –s, –e (auf=halten) stay, stoppage; sojourn; delay
Der Zug hat hier einen Aufenthalt von zehn Minuten = Er hält hier zehn Minuten lang an.

auf=führen erect, build; act, perform [die Aufführung performance]; ein Drama aufführen present *or* enact a play; sich aufführen = sich benehmen conduct oneself, behave
An dieser Stelle soll ein Denkmal aufgeführt werden.

die **Aufgabe, –n (auf=geben) lesson; assignment, task
Was ist unsere Aufgabe für morgen?
Er hat seine Aufgabe erfüllt (fulfilled his task).

der **Aufgang,** –s, ⸗e (auf=gehen) ascent, rise

auf=geben (i, a, e) give up, abandon, resign; post (letter); assign (lesson)
Er hat die Arbeit aufgegeben, sie war zu schwer für ihn.
Was hat der Lehrer uns für morgen aufgegeben?

auf=gehen (i, a) (s.) go up, rise (of sun); open; G. untergehen go down
Im Juni geht die Sonne sehr früh auf.
Die Tür ging auf (opened).

auf=halten (ä, ie, a) delay; sich aufhalten stay

auf=heben (o, o) pick up, raise; save, keep
Das Buch ist auf den Boden gefallen, heben Sie es bitte auf.
Er hebt (keeps) das Geld für mich auf.
Das Kind ist gut aufgehoben (well taken care of).

auf=hören cease, stop
Es hat aufgehört zu regnen.

***auf=machen** = öffnen open; sich aufmachen set out
Machen Sie die Tür auf!
Er machte sich auf den Weg.

aufmerksam (merken) attentive [die Aufmerksamkeit attention]
Er machte ihn darauf aufmerksam (called his attention to the fact), daß es schon spät sei.
Er hörte dem Lehrer aufmerksam zu.
Er wird aufmerksam darauf. He notices *or* begins to notice it.

***auf=passen** = auf etwas achten take care, look out, pay attention to
Passen Sie auf, daß kein Unglück geschieht!

die **Aufregung,** –en (auf=regen) excitement, tumult

auf=richten set up, raise; erect; comfort; sich aufrichten stand up; etwas Liegendes aufrichten; seinen Mut wieder aufrichten raise *or* revive his courage.

aufrichtig (*cog.* upright) sincere, frank, honest
Er hat sie aufrichtig geliebt.
Seien Sie aufrichtig! Be frank!

der **Aufsatz,** –es, ⸗e (auf=setzen) composition, essay, theme; (printed) article
Der Aufsatz erschien in einer Monatsschrift.

das **Aufsehen,** –s sensation [der Aufseher supervisor]
Seine Rede erregte großes Aufsehen.

auf=setzen put up, put on (hat); compose
Setzen Sie den Hut auf!
Bitte, setzen Sie für mich den Brief auf (draw up for me).

die **Aufsicht,** –en supervision; die Aufsicht führen exercise supervision

der **Aufstand,** –s, ⸗e (auf=stehen) rebellion, uprising

auf=stehen (a, a) (s.) get up, rise
Um wie viel Uhr steht er auf?

auf=stellen set up, draw up [die Aufstellung setting up]; eine Behauptung aufstellen make an assertion; eine Leiter aufstellen (raise, set up); eine Rechnung aufstellen draw up an account *or* bill; eine Wache auf=stellen post a sentry

der **Aufstieg,** –s (auf=steigen) ascent, mounting

der **Auftrag,** –s, ⸗e (auf=tragen) request, order, commission; errand; einen Auftrag besorgen do a commission *or* errand
Er handelt in meinem Auftrag. He is acting upon my orders.

auf=treten (i, a, e) (s.) appear; leise auftreten step softly; fest auftreten walk with a firm step; act firmly; als Kandidat auftreten offer one-self as a candidate

der **Auftritt,** –s, –e (auf=treten) appearance, scene

aufwärts (*see* –wärts) upward; G. abwärts downward
Sie fuhren flußaufwärts (up the river).

das **Auge, –s, –n eye [die Augenbrauen eyebrows]; unter vier Augen face to face, in private, tête-à-tête
Er schlägt die Augen auf, nieder (= zu Boden). He opens his eyes, casts his eyes upward, downward.
Er macht große Augen. He looks surprised, astonished.
Er hat (behält) das im Auge, in den Augen. He has that in view, in mind.
Das fällt ihm in die Augen. That draws his attention.
Er faßt es (nimmt ihn) scharf ins Auge, in die Augen. He fixes his eyes upon it, keeps a sharp eye upon him.

*der **Augenblick,** –s, –e = der Moment moment, instant [augenblicklich immediate; momentary]
Warten Sie einen Augenblick, ich komme sogleich mit.

****aus** out of, from (*dat.*)
Er kommt aus dem Haus(e) und geht in den Garten.
Er ist aus New York = Er kommt von New York.
Es ist aus damit (mit ihm). That is the end of it (of him). It (he) is done for.
Es ist aus zwischen ihnen. They are no longer friends.

aus=bilden educate, develop [die Ausbildung training, education, development]

aus=breiten (breit) spread, extend [die Ausbreitung spread, extension]
Vor unseren Augen ausgebreitet lag ein liebliches Tal.

der **Ausbruch**, –s, ⸗e (aus=brechen) outbreak, outburst, eruption; der Ausbruch eines Vulkans, des väterlichen Zornes usw.

der **Ausdruck**, –s, ⸗e (aus=drücken) expression [ausdrücklich expressly]; zum Ausdruck bringen = ausdrücken
Er gebrauchte Ausdrücke, die mir unbekannt waren.
Das hat er uns ausdrücklich verboten (absolutely forbidden).

auseinander apart, asunder
Der Uhrmacher nahm die Uhr auseinander.

aus=führen = zu Ende führen, beenden, fertigmachen carry out, execute; export [die Ausfuhr export; die Ausführung execution]
Der Plan ist nie ausgeführt worden.

ausführlich detailed, explicit, minute; eine ausführliche Antwort; ein ausführlicher Bericht full particulars, full report

die **Ausgabe**, –n (aus=geben) expenditure, disbursement; edition, issue; Einnahmen und Ausgaben income and expenditure; die Neuausgabe (new issue) eines Buches

der **Ausgang**, –s, ⸗e (aus=gehen) exit, outcome; G. der Eingang entrance [der Ausgangspunkt starting point]
Das Theater hat zwei Eingänge und mehrere Ausgänge.

ausgezeichnet (aus=zeichnen) = großartig, herrlich excellent, fine, exceedingly good *or* well
Das Essen schmeckte ihm ausgezeichnet.

aus=halten (ä, ie, a) bear, endure
Das hält kein Mensch aus. No human can endure that.

die **Auskunft**, ⸗e information
Er kann Ihnen darüber Auskunft geben.

aus=machen amount to; agree on; extinguish; das Licht ausmachen turn off the light
Wie viel macht das aus?
Das macht nichts aus. That does not matter.
Was haben Sie mit ihm ausgemacht? What arrangements (agreement) did you make with him?

die **Ausnahme**, –n (aus=nehmen) exception
Es gibt wenige Regeln ohne Ausnahmen.

aus=schließen (o, o) exclude; lock out [ausschließlich exclusive]
Es ist ganz ausgeschlossen (out of the question, impossible), daß wir uns jemals wieder sehen.

aus=sehen (ie, a, e) look, appear [das Aussehen looks, appearance]
Der Mann muß krank sein, er sieht schlecht aus.
Es sieht nach Regen aus. It looks like rain.

***außen** outside; G. innen inside
Wir haben das Haus von außen und von innen besehen.

***außer** (*dat.*) = ausgenommen except, beside, outside of [das Äußere external appearance; äußerlich outward, external]
Außer mir war niemand dort.
Er war außer sich vor Freude. He was beside himself with joy.

außerdem = auch besides, in addition
Er ist arm und außerdem nicht gesund.

außerhalb (*gen.*) outside of, beyond; G. innerhalb inside of; außerhalb der Schule, der Mauern usw.

äußern = aussagen, aussprechen express, show [die Äußerung utterance]
Hat er irgend einen Wunsch geäußert?

***außerordentlich** = ungewöhnlich extraordinary; G. gewöhnlich common, ordinary; ein außerordentlicher Vorfall (occurrence)
Er hat ganz außerordentliches geleistet. He has accomplished wonders.

äußerst very much, exceedingly, extreme
Er ist aufs äußerste erschrocken. He is extremely frightened.

die **Aussicht**, –en (aus=sehen) view, prospect [aussichtslos hopeless]; die Aussichten auf eine gute Ernte prospects for a good harvest

die **Aussprache**, –n (aus=sprechen) pronunciation; discussion

aus=sprechen (i, a, o) pronounce; einen Wunsch aussprechen (express)
Spricht er das Wort richtig oder falsch aus?

der **Ausspruch**, –s, ⸗e (aus=sprechen) utterance

die **Ausstellung**, –en (aus=stellen) exhibition, fair
Die letzte Weltausstellung in Chicago war ein großer Erfolg.

der **Austritt**, –s, –e (aus=treten) withdrawal

die **Auswahl**, –en (aus=wählen) selection
Diese Auswahl der Gedichte gefällt mir außerordentlich.

die **Auswanderung**, –en (aus=wandern) emigration

***auswendig** by heart, from memory; outward, without; auswendig lernen memorize
Kannst du das Gedicht auswendig? Do you know the poem by heart?

aus=zeichnen mark out, distinguish [die Auszeichnung distinction]
Er hat die Prüfung mit Auszeichnung bestanden = Er hat sich bei der Prüfung ausgezeichnet.

aus=ziehen (o, o) (h. u. s.) move, take off; sich ausziehen undress; den Rock ausziehen take off one's coat
Die Wohnung gefiel ihnen nicht; sie sind ausgezogen.
Er zog sich aus und ging zu Bett.

der **Auszug**, –s, ⸗e (aus=ziehen) departure; abstract

die **Axt**, ⸗e = das Beil ax

B

*der **Bach**, –es, ⸚e = ein kleiner Fluß brook, rivulet

*die **Backe**, –n = die Wange cheek

**__backen__, bäckt, buk (*also* backt, backte), gebacken bake, roast, fry [der Bäcker baker; die Bäckerei bakeshop, bakery]

*das **Bad**, –es, ⸚er bath [baden bathe; der Badeanzug bathing *or* swimming suit]
Das tägliche Bad ist gut für die Gesundheit.

*die **Bahn**, –en road, way; path, course; track, railroad; orbit [die Eisbahn skating rink; die Hochbahn elevated railroad; die Laufbahn career; die Reitbahn riding school, bridle path; die Rennbahn race track; die Straßenbahn street car; die U-Bahn = Untergrundbahn (subway) usw.]; die Bahn brechen do pioneer work, pave *or* prepare the way; sich Bahn brechen = sich einen Weg bahnen cut one's way through, make headway

der **Bahnhof**, –s, ⸚e = das Gebäude, wo Eisenbahnzüge ein- und abfahren station

**__bald__ = in Balde, in kurzer Zeit soon, in a short time [baldig speedy]; bald . . . bald now . . . now; bald das eine, bald das andere first one thing, then another; now this, now that; bald hier, bald dort; bald langsam, bald schnell; bald schläft er, bald wacht er wieder now he sleeps, and now he is awake again; bald so, bald so now one way, then another

der **Ball, –es, ⸚e ball, dance [der Fußball, der Maskenball usw.]
Spielst du Ball?
Die Damen gaben einen großen Ball.

das **Band**, –es, ⸚er (binden) ribbon; bond, tie; der Band, –es, ⸚e volume
Um den Hut trug sie ein rotes Band.
Das Werk ist in zwei Bänden erschienen.

bang anxious, alarmed [bangen fear]
Er macht ihn bange. He frightens him.
Ihm ist bange dafür (darum, davor; um ihn oder für ihn). He is much concerned regarding it (him).

*die **Bank**, ⸚e bench

*die **Bank**, –en (money) bank [die Banknote bank note; der Bankier banker]
Haben Sie Geld auf der Bank?

bar (*cog.* bare) destitute; cash [barfuß barefoot]
Er ist aller Mittel bar. He is destitute of all means (of living).
Er zahlt bar. He pays cash.

der **Bär**, –en, –en bear

der **Barbier**, –s, –e barber [der Barbierladen barber shop]

barmherzig merciful, charitable, compassionate [die Barmherzigkeit mercy]

*der **Bart**, -es, ⸗e beard

bauen build, construct; till, cultivate [der Bau = das Gebäude; die Baukunst architecture; das Bauwerk building, structure]

der **Bauer, -s oder -n, -n = der Landmann peasant, farmer; cage [die Bäuerin peasant woman, farmer's wife; das Bauernhaus farmhouse]

der **Baum, -es, ⸗e (*cog.* beam) tree

die **Baumwolle** cotton [baumwollen of cotton]

beabsichtigen (Absicht) intend
Er hat nicht beabsichtigt, irgend jemanden zu beleidigen.

beachten = achten auf pay attention, notice, heed [die Beachtung heeding]
Beachten Sie bitte diese einfache Regel!

der **Beamte**, -n, -n (Amt) public official, functionary
Der Bürgermeister (mayor) ist ein Beamter (ein Stadtbeamter).

beanspruchen (Anspruch) lay claim to

bearbeiten work on, revise; till, cultivate [die Bearbeitung cultivation; revision]; eine neu bearbeitete Auflage a revised edition; jemanden bearbeiten work on someone, try to persuade someone; das Feld bearbeiten (= bebauen) till the field

beauftragen (ä, u, a) (Auftrag) order, instruct
Er hat mich beauftragt, Ihnen dieses Buch zu übergeben.

beben, erbeben = zittern quiver, quake, tremble [das Erdbeben earthquake]; vor Kälte beben shiver with cold
Das Herz bebt mir vor Freude. My heart thrills (throbs) with joy.

der **Becher**, -s, —, beaker, cup, goblet

sich **bedanken** thank; decline
Er bedankte sich bei uns für die freundliche Aufnahme.
Ich bedanke mich dafür! I am much obliged (but I would rather not do *or* accept it).

der **Bedarf**, -s (bedürfen) need, demand

bedauern regret, deplore, pity
Er bedauerte, daß er dem Ball nicht beiwohnen (be present) konnte.

bedecken (*cog.* bedeck) cover

bedenken (a, a) consider, think over [bedenklich doubtful, critical]; sich eines anderen bedenken change one's mind; ohne Bedenken without hesitation
Mensch, bedenke dein Ende!

****bedeuten** mean, signify [bedeutend considerable, important; die Bedeutung meaning, significance; unbedeutend insignificant]
Der Schüler wußte nicht, was das Wort bedeutete.
Das hat (gar) nichts zu bedeuten. It does not matter (at all).

die **Bedingung**, -en condition, terms [bedingen stipulate; unbedingt unconditional, absolute, implicit]; unter der Bedingung, daß . . . on the condition that . . .

bedürfen, bedarf, bedurfte, bedurft = nötig haben need, require [der Bedarf, das Bedürfnis need, want; (be)dürftig needy, indigent]
Das bedarf keines Beweises. No proof is required for that.

sich **beeilen** hasten, hurry
Es wird spät, wir müssen uns beeilen.

*die **Beere**, -n berry [die Erdbeere strawberry; die Johannisbeere currant; die Stachelbeere gooseberry]
Essen Sie Erdbeeren gerne? Do you like strawberries?

befangen embarrassed, shy; prejudiced, biased [die Befangenheit embarrassment; unbefangen unaffected, impartial]
Bei mündlicher Prüfung (oral examination) ist oft der klügste Student sehr befangen.

***befehlen**, befiehlt, befahl, befohlen (*dat.*) order, command [der Befehl order, command]

befestigen (fest) fortify, fasten, strengthen [die Befestigung fortification]; die Stellung, den Ort usw. befestigen; das Band der Freundschaft befestigen strengthen (draw close) the bonds of friendship; ein Lager befestigen entrench a camp

sich **befinden** (a, u) feel; be
Er befindet sich wohl, schlecht usw. He is well, not well, etc.
Wo befindet er sich jetzt? = Wo ist er jetzt?

befreien (frei) set free, liberate [die Befreiung liberation]
Lincoln hat die Neger aus der Sklaverei befreit.

befriedigen (Friede) pacify, satisfy, please [die Befriedigung satisfaction]
Er war darüber (oder damit) sehr befriedigt.

befürchten fear, be afraid of [die Befürchtung apprehension, misgivings]
Der Schüler hatte eine schlechte Note (oder Zensur = report, marks) befürchtet.

begabt (Gabe *and* geben) gifted, talented [die Begabung gift, ability, talent]
Goethe war ein hochbegabter Dichter.

sich **begeben** (i, a, e) betake oneself to; happen, occur [die Begebenheit event, occurrence]
Es begab sich, daß . . . It happened that . . .
Er begibt sich dahin (aufs Land, zu Bett usw.). He goes there (to the country, to bed, etc.).

***begegnen** (f.) = treffen (*dat.*) meet; happen [die Begegnung meeting]
Ist er dir auf der Straße begegnet? = Hast du ihn auf der Straße getroffen?

begehen (i, a) commit; celebrate
Wer hat dieses Verbrechen (diese Tat, den Fehler usw.) begangen?
Das Mädchen begeht heute ihren sechzehnten Geburtstag.

begehren = verlangen (*cog.* yearn) demand; crave
Er begehrt sie zur Frau. He wants to marry her.
Kartoffeln sind sehr begehrt. There is a great demand (good market) for potatoes.

begeistern (Geist) inspire; sich begeistern become enthusiastic [die Begeisterung inspiration, enthusiasm]; ein begeisterter Empfang an enthusiastic (rapturous) reception; begeisterte Worte spirited (fiery) words

begießen (o, o) water, sprinkle [die Begießung (act of) watering]
Meine Schwester ist im Garten; sie begießt die Blumen.

****beginnen**, begann, begonnen = anfangen begin, start, commence [der Beginn beginning]
Frisch begonnen, halb gewonnen. Well begun, half won.

***begleiten** = mitgehen (*cog.* glide) accompany, escort [die Begleitung accompaniment, convoy; der Begleiter escort]
Darf ich Sie nach Hause begleiten? May I escort you home?
Der Mann sang und wurde von seiner Frau auf dem Piano begleitet.

sich **begnügen** (genug) content oneself
Er mußte sich mit einem kleinen Gehalte begnügen.

begraben (ä, u, a) = beerdigen, unter die Erde bringen (*cog.* grave) bury, inter [das Begräbnis burial, funeral]
Er wurde gestern begraben; wir waren bei seinem Begräbnisse.

begreifen (i, i) = verstehen understand, conceive [begreiflich = verständlich comprehensible; der Begriff concept, idea]
Ich kann nicht begreifen, was er damit sagen will. I cannot conceive what he is driving at.
Er ist im Begriffe . . . He is on the point of . . .
Er hat nicht den geringsten Begriff (kein Verständnis, keine Ahnung) davon.

behaglich = gemütlich comfortable, cozy [behagen please, suit; das Behagen oder die Behaglichkeit comfort, ease; coziness]
Im Winter ist es in einem warmen Zimmer sehr behaglich.
Das will mir nicht behagen = Das gefällt mir nicht.

behalten (ä, ie, a) keep, retain, remember [der Behälter keeper; reservoir, receptacle]; im Auge behalten not to lose sight of; recht behalten be right in the end
Behalten Sie das Geld, ich brauche es nicht.
Man kann nicht alles behalten, was man lernt.

behandeln (*cog.* handle) treat; discuss [die Behandlung treatment]; einen als Freund behandeln treat one as a friend

***behaupten** (Haupt) assert, maintain [sich behaupten stand one's ground; die Behauptung assertion]
Er behauptet (= er besteht darauf), daß er den Mann kenne.
Es wird behauptet . . . It is (being) reported *or* asserted . . .

beherrschen (Herr) master, control, rule over [die Beherrschung mastery, rule]
Er beherrscht die deutsche Sprache = Er versteht, liest und schreibt gut Deutsch.
Beherrschen Sie sich! Control yourself!

behexen (Hexe) bewitch

behüten (die Hut) look after, preserve [behutsam careful]

****bei** (*dat.*) at; with; amongst; near, by; at the home of
Er wohnt bei uns. He lives at our place *or* house, lives with us.
Hast du Geld bei dir? Have you money with you?
Er denkt (sagt, lächelt) bei sich selbst. He thinks (says, smiles) to himself.

****beide** (alle beide) both

der **Beifall**, –s applause, cheers, approbation
Seine Rede fand bei den Zuhörern großen Beifall.

das **Beil**, –es, –e = die Axt

****das Bein**, –es, –e (*cog.* bone) leg; bone [beinern of bone]
Er ist auf den Beinen. He is astir.
Er bringt ihn (hilft ihm) auf die Beine. He brings him around, sets him in motion, restores him to health.
Er macht sich auf die Beine. He sets out (gets busy, runs away).

beinahe = fast almost, nearly

beisammen = zusammen together
Die Familie sitzt in der Wohnstube beisammen.

****das Beispiel**, –s, –e example; zum Beispiel for example
Ein gutes Beispiel ist mehr wert als eine gute Regel.

***beißen**, biß, gebissen bite [zerbeißen bite in pieces, crack]

der **Beistand**, –s (bei=stehen) aid, assistance
Ohne Ihren Beistand werde ich mit der Arbeit nicht fertig.

bei=tragen (ä, u, a) contribute [der Beitrag contribution, dues]
Er hat viel zu der Unterhaltung der Gäste beigetragen.

bejahen (ja) affirm, say "yes" [die Bejahung affirmation; G. die Verneinung negation]
Ich muß Ihre Frage leider bejahen. I regret that I must answer your question in the affirmative.

bekannt (kennen) known [bekanntlich as is well known; die Bekanntmachung public notice]
Das Lied war mir nicht bekannt (= war mir unbekannt).

der **Bekannte**, –n, –n (kennen) = einer, den man kennt acquaintance [die Bekanntschaft acquaintance]
Herr Braun ist ein Bekannter von mir (an acquaintance of mine).

bekennen (a, a) (kennen) = gestehen avow, profess, acknowledge [das Bekenntnis oder die Bekennung confession; creed]
Es fällt einem schwer, seine Fehler zu bekennen. It is difficult to acknowledge one's own mistakes.

****bekommen** (a, o) = erhalten get, obtain, receive
Ich habe Ihren Brief gestern bekommen.
Das bekommt ihm übel (schlecht). That does not agree with him.
Wohl bekomm's! Your health!
Diese Sorte Zigarren ist nicht mehr zu bekommen (to be had).

belagern (Lager) besiege [die Belagerung siege]
Der Feind belagert (has been besieging) die Stadt seit drei Wochen.

belasten (Last) load, burden

beleben (Leben) enliven, animate; eine belebte Gegend a region teeming with life

belehren inform, instruct, advise [die Belehrung instruction]
Er läßt sich gerne belehren. He is willing to take advice.

beleidigen (Leid) offend, insult [die Beleidigung offense, insult]
Er fühlt sich durch Ihre Bemerkung beleidigt (= hält sich für beleidigt).

beleuchten (Licht) illuminate [die Beleuchtung illumination]
Die Halle war nur schwach beleuchtet.

beliebt (lieben) popular; nach Belieben at your pleasure, as you like (it), at will
Dieser edle Mann ist in der ganzen Stadt beliebt.

***bellen** bark
Hunde, die bellen, beißen nicht (Sprichwort).

belohnen = einen Lohn geben reward [die Belohnung = der Lohn]
Er wurde für seine Tat reichlich belohnt.

bemerken notice, remark [bemerkbar noticeable; die Bemerkung remark]
Haben Sie bemerkt, wie blaß er aussah?

bemühen (Mühe) trouble, inconvenience; sich bemühen bother, try [die Bemühung effort, pains]
Ich will Sie nicht weiter bemühen.

benachrichtigen (Nachricht) inform, notify
Benachrichtigen Sie die nächsten Verwandten von dem Unglück.

sich **benehmen** (i, a, o) behave
Er benimmt sich (= beträgt sich) sehr anständig.

beneiden (Neid) = neidisch sein envy
Ich beneide Sie um Ihr Glück.

benutzen, benützen (nützen) utilize [die Benutzung use, employment]
Man soll jede günstige Gelegenheit benutzen (= ausnutzen).

***beobachten** observe, watch [der Beobachter observer; die Beobachtung observation]
Ich habe beobachtet, daß er sehr wenig Geld ausgibt.

bequem (*cog.* become) comfortable, convenient [die Bequemlichkeit comfort, convenience]
Setzen Sie sich in den anderen Stuhl; er ist viel bequemer.

***bereit** = fertig ready, prepared
Sind Sie bereit mitzugehen?

bereiten = fertig machen (*cog.* ready) prepare, afford [bereit ready; die Bereitung preparation]
Der Koch bereitet die Mahlzeit.
Dein Besuch bereitet mir große Freude.

bereits = schon already

der **Berg, –es, –e (*cog.* barrow, bury) mountain

***berichten** (*cog.* right) report [der Bericht report; der Berichterstatter reporter, correspondent]
Ich habe über Ihre Krankheit an Ihre Eltern berichtet (= Bericht erstattet).

berücksichtigen (Rücksicht) consider, take into account, make allowance for [die Berücksichtigung consideration]
Er hat meine Bitte nicht berücksichtigt.

der **Beruf**, –s, –e profession [berufen summon, convoke; die Berufung summons, convocation]
Er ist Rechtsanwalt von Beruf.
Er beruft sich auf mich. He gives my name as reference, refers to me.
Unberufen! Knock on wood!

beruhigen (ruhig) pacify, calm

berühmt (Ruhm) = sehr bekannt famous [die Berühmtheit fame; eine Berühmtheit a famous person]
Er ist über Nacht berühmt geworden.

berühren touch, concern [die Berührung touch, contact]
Er hatte keinen Hunger und ließ das Essen unberührt.

beschädigen (schaden) damage, injure

beschaffen = verschaffen procure [beschaffen constituted; die Beschaffenheit condition, state, quality]; Beweise beschaffen procure proofs

beschäftigt busy, occupied [beschäftigen occupy, engage; die Beschäftigung occupation]
Wir sind immer beschäftigt = Wir haben immer viel Arbeit.

der **Bescheid**, –s decision; information
Er bringt (gibt) ihm Bescheid. He brings (gives) him information.
Er weiß Bescheid. He is well posted, knows his way about.

bescheiden modest [die Bescheidenheit modesty]
Seine Ansprüche (demands, claims) waren sehr bescheiden.

beschleunigen (schleunig) hasten, accelerate; die Schritte beschleunigen quicken *or* double one's pace

beschließen (o, o) = entscheiden decide, conclude; end; seine Tage in Frieden beschließen end one's days in peace
Nun, was haben Sie beschlossen zu tun?

der **Beschluß**, –(ss)es, ⁼(ss)e (beschließen) decision

beschmutzen (Schmutz) soil, pollute

beschreiben (ie, ie) describe [die Beschreibung description]
Das Aussehen des Mannes war in der Zeitung genau beschrieben.

beschuldigen = jemandem die Schuld geben, anklagen blame, accuse, charge with something [die Beschuldigung accusation, charge]
Wessen beschuldigt man ihn? (des Mordes, des Diebstahls, des Verrats usw.)

besehen (ie, a, e) examine, look at
Wir haben das Haus von innen und von außen besehen.

beseitigen (Seite) = aus dem Wege schaffen, wegräumen, erledigen remove, put aside; clear up [die Beseitigung removal]; Hindernisse, Schwierigkeiten, einen Verdacht beseitigen

der **Besen**, –s, — (*cog.* besom) broom

sich **besinnen**, besann, besonnen (Sinn) think over, recall [die Besinnung consciousness]; sich eines anderen besinnen change one's mind
Ich kann mich des Vorfalls nicht besinnen (= nicht erinnern).
Er besinnt sich darauf oder dessen (seiner). He remembers it (him).

besitzen (a, e) (sitzen) (*cog.* sit) possess [der Besitz, die Besitzung, das Besitztum property, possession, estate; der Besitzer possessor, owner]
Mein Freund besitzt ein Gut auf dem Lande.

besonders (sonder) = insbesondere (*cog.* sundry) especially
Ich lese Schiller besonders gerne. I am especially fond of (reading) Schiller.

besorgen (Sorge) arrange, manage, procure, provide; apprehend, fear [die Besorgnis apprehension; besorgt anxious, troubled; die Besorgung procuring]; Besorgungen machen oder ausrichten do errands
Mein Freund besorgte die Eintrittskarten.

besprechen (i, a, o) discuss [die Besprechung discussion, review]; die Besprechung eines Buches review of a book
Wir haben die Angelegenheit vor kurzem besprochen. We discussed the affair recently.

****besser**, best (*positive* gut) better [sich bessern better oneself, improve, reform; die Besserung improvement; recovery]; zum Besten der Armen for the benefit of the poor
Er gibt ein Fest, einen Witz, eine Flasche zum besten. He gives a party, cracks a joke, contributes a bottle.
Er hält (hat) ihn zum besten. He makes a fool of him.

bestätigen corroborate, confirm, acknowledge [die Bestätigung acknowledgment]
Ich habe den Empfang des Briefes bestätigt.

bestehen (a, a) exist; consist of; insist upon; pass [der Bestand continuation, equipment; die Bestehung existence]
Diese Kirche besteht (has been in existence) schon seit langer Zeit.
Seine Mahlzeit bestand aus Brot, Eiern, Käse und Milch.
Er besteht darauf. He insists upon it.
Er bestand die Prüfung. He passed the examination.

bestellen order; send for; till (soil) [die Bestellung order; cultivation (of soil)]
Hast du etwas zu essen bestellt?
Der Bauer bestellt (= bebaut) seine Äcker.

bestens very much, in the best manner
Ich danke bestens. I thank you very much.

***bestimmen** (Stimme) determine, define, fix; destine for, intend for [die Bestimmung destination]
Welcher Tag ist für die Prüfung bestimmt?
Ist dieses Geschenk für mich bestimmt?

bestimmt (bestimmen) certain, definite; fixed, defined [die Bestimmtheit definiteness]; eine bestimmte (fixed) Summe Geldes
Ich komme morgen bestimmt zu dir.

der **Besuch**, –(e)s, –e (*cog.* seek) visit, call; caller *or* callers [besuchen visit; der Besucher visitor, caller]; Besuche machen make calls
Sind Sie hier nur auf (oder zu) Besuch oder wohnen Sie hier?
Er hat Besuch. He has callers (visitors), company.

sich **beteiligen** (Teil) participate [die Beteiligung participation]
Ich bin an (oder bei) dieser Sache nicht beteiligt. I am not taking part (not involved) in this matter.

beten pray (to God) [der Beter one who prays]
Beten Sie zu Gott, daß alles gut ende.

betrachten = ansehen, anschauen observe, look at, view; consider [die Betrachtung observation; beträchtlich considerable]
Betrachten Sie dieses Veilchen; ist es nicht reizend?

sich **betragen** (ä, u, a) = sich benehmen behave; betragen amount to [der Betrag = die Summe amount, sum total]
Der junge Mann beträgt sich (= benimmt sich) sehr sonderbar.
Die Rechnung betrug zwanzig Mark.

betreffen (i, a, o) concern [betreffs (*gen.*) concerning]; was das (an) betrifft as to that, as far as that is concerned
Diese Sache betrifft Sie gar nicht.

betreten (i, a, e) enter; tread (set one's foot) upon [die Betretung entering]; das Zimmer betreten (enter); die Kanzel betreten mount the pulpit; das Ufer betreten set one's foot upon the shore
Er war sehr betreten (= verlegen). He was very much embarrassed.

betrüben (trüb) grieve, afflict [die Betrübheit oder Betrübnis grief, distress]
Die Nachricht hat uns alle sehr betrübt.

betrügen (o, o) = falsch handeln, belügen deceive, cheat, defraud [der Betrug deceit, deception; der Betrüger deceiver, swindler]
Er hat ihn um sein Geld betrogen. He cheated him out of his money.

das **Bett, –es, –en bed [betten put to bed; make one's bed]; ein zweischläfriges Bett a double bed; ein Bett aufschlagen put up a bed; das Bett hüten (= krank sein) keep in bed

betteln (um + *acc.*) ask for alms, beg [der Bettler beggar]

beugen bend, bow; vom Alter gebeugt bowed down (bent) with age
Ehrfürchtig (reverently) beugte er das Haupt vor Gott.

beunruhigen (ruhig) disturb, alarm

die **Beute** booty, prey, spoils [erbeuten secure booty; capture]; auf Beute ausgehen go out plundering; zur Beute fallen fall prey (to)

der **Beutel**, –s, —, bag, purse, pouch
Das greift den Beutel sehr an. That tells heavily upon one's purse.

die **Bevölkerung** (Volk) = die Einwohnerschaft population [bevölkern populate, fill with people]

bevor = ehe before
Ich möchte das Buch zu Ende lesen, bevor ich schlafen gehe.

bevor=stehen (a, a) be imminent, be in store for
Keiner weiß, was ihm bevorsteht.

bewachen = Wache halten watch, keep guard (over) [die Bewachung guarding]; streng bewacht in close custody, under close guard

bewaffnen (Waffe) = mit Waffen versehen (provide) [die Bewaffnung arming]; eine bewaffnete Macht an armed force

bewahren keep, preserve, save [die Bewahrung guard, protection]

sich **bewähren** stand the test, prove true
Ein echter Freund bewährt sich in der Not.

***bewegen** move, stir, budge, agitate [beweglich movable; die Beweglichkeit agility, nimbleness, earnestness; die Bewegung movement, motion, commotion, agitation]
Die Erde bewegt sich um die Sonne.

bewegen, bewog, bewogen induce
Ich konnte ihn nicht bewegen, nach Hause zu gehen.

***beweisen** (ie, ie) prove, demonstrate [der Beweis proof]
Ich kann es nicht beweisen = Ich habe keine Beweise dafür.

bewilligen (wollen) grant [die Bewilligung granting]; eine Bitte bewilligen comply with a request

bewirten (Wirt) regale, treat; be host

bewundern (*cog.* wonder) admire [die Bewunderung admiration]
Sein Fleiß ist wirklich bewundernswert (= ist wert zu bewundern).

bewußt (wissen) conscious [das Bewußtsein consciousness]; soviel mir bewußt = soviel ich weiß so far as I know
Ich bin mir keiner Schuld bewußt. I have nothing to reproach myself with (= I am conscious of no guilt *or* blame).

bezahlen pay [die Bezahlung payment]; die Rechnung, die Zeche usw. bezahlen
Das macht sich bezahlt, das bezahlt sich. It pays, it's worth doing.

bezaubern (Zauber) bewitch

bezeichnen (Zeichen) point out, characterize, designate [die Bezeichnung designation]; den Ort bezeichnen indicate *or* describe the place
Das ist sehr bezeichnend. That is very characteristic.

beziehen (o, o) draw; move (into), enter; cover; obtain; connect with, refer to [die Beziehung covering, moving into; relationship]; Gehalt beziehen draw salary; das Bett frisch beziehen (überziehen) put new sheets on a bed; ein Haus beziehen move into a house; eine Universität beziehen enter a university; in jeder Beziehung in every respect
Worauf bezieht er sich? What is he referring to?

der **Bezug**, –s, ⸗e (beziehen) covering, cover; reference; in (mit) Bezug darauf (auf ihn) with reference to that (to him)

bezweifeln (Zweifel) doubt

die **Bibel**, –n (*Gr. biblia* book) Bible

die **Bibliothek**, –en = die Bücherei library

***biegen**, bog, gebogen (*cog.* bow) bend, turn [die Biegung bend, turn]
Was nicht biegen will, muß brechen (Sprichwort).

*die **Biene**, –n bee [der Bienenstock beehive]

das **Bier**, –es, –e beer

bieten, bot, geboten bid, offer [an⸗bieten offer]
Er bot zehn Dollars für den Tisch.

das **Bild, –es, –er picture, image [das Bildnis portrait, likeness; die Bildsäule statue]; sich ein klares Bild davon machen have a clear notion of it

***bilden** form, shape; educate; formulate; constitute [die Bildung formation; training, education; die Vorbildung preparatory training]
Bilden Sie einen Satz.
Er ist ein gebildeter Mann = Er hat eine gute Bildung genossen (received).

****billig** cheap, reasonable; fair; G. teuer expensive [billigen approve; die Billigkeit cheapness, fairness]

Er hat das Haus billig gekauft.
Was dem einen recht ist, ist dem andern billig (Sprichwort). What's sauce for the goose is sauce for the gander.

**binden, band, gebunden bind, tie; G. lösen unbind, untie [das Bund bunch, bundle; der Bund oder das Bündnis alliance; zu=binden tie *or* bind up]
Ich darf es nicht sagen; ich bin durch mein Wort gebunden.
Du mußt ihm nicht alles auf die Nase binden. You must not let out everything to him.

binnen (*gen.*) = innerhalb within; binnen eines Jahres within a year

die **Birke,** –n birch tree

*die **Birne,** –n pear; eine elektrische Birne light bulb

****bis** (*prep.*) to, up to, until, as far as; (*conj.*) till, until; bis an die Tür as far as the door; bis auf up to; bis morgen until tomorrow
Warte, bis ich fertig bin.

bisher until now, hitherto [bisherig hitherto existing]
Bisher habe ich geschwiegen, jetzt aber werde ich reden.

der **Biß,** –(ss)es, –(ss)e (beißen) bite [der Bissen a bite to eat]

das **Bißchen,** –s, — (beißen) small amount, bit [ein bißchen a little, some]; ein bißchen Brot (Milch, Geld, Ruhe usw.)

bisweilen = manchmal, hie und da, von Zeit zu Zeit

die **Bitte,** –n (*cog.* bid) request
Ich habe eine kleine Bitte an dich.

****bitten,** bittet, bat, gebeten = um etwas fragen (*cog.* bid) ask for, beg, request; bitte please; bitte schön please; don't mention it (*in answer to* danke schön!); wenn ich bitten darf (darf ich bitten?) if you please
Er bittet mich um das Buch; er bittet mich darum (for it).

****bitter** bitter [die Bitterkeit bitterness]

blasen, bläst, blies, geblasen blow; sound; play [der Blaser blower]; eine Flöte, eine Klarinette, das Horn (auf dem Horn, ins Horn) blasen
Der Wind blies kalt aus dem Norden.

blaß = bleich, von weißlicher Farbe pale, pallid

das **Blatt, –es, ⸗er leaf, page, sheet; newspaper [das Tageblatt daily; das Wochenblatt weekly]; vom Blatte spielen play at sight
Man spricht von einem Blatt am Baume, von einem Blatt im Buche usw.

****blau** blue

das **Blei,** –es lead [bleiern leaden]

****bleiben,** blieb, ist geblieben stay, remain; erhalten bleiben be preserved
Er bleibt stehen, liegen, sitzen usw. He remains standing, lying, seated, etc. Er blieb plötzlich stehen. Suddenly he stopped.
Es bleibt dabei. That's settled. Things will remain as they are.

bleich (*cog.* bleak) pale, faint
Der Verbrecher wurde bleich (= erbleichte), als er sein Todesurteil (death sentence) hörte.

der **Bleistift, –s, –e pencil

blenden = blind machen blind, dazzle [die Blendung blinding]
Ein allzu scharfes Licht blendet.

*der **Blick,** –es, –e glance, look [blicken look, glance; an=blicken look at, regard]; auf den ersten Blick at first sight
Mit einem Blick hatte er alles gesehen.

blind blind [die Blindheit blindness; stockblind stone blind; ein blinder Passagier stowaway]; im blinden (dunkeln) tappen grope in the dark

***blitzen** lighten [der Blitz lightning]
Wenn es blitzt und donnert, gibt es gewöhnlich Regen.

bloß = nur only, merely, just

bloß = nackt bare, naked, mere [die Blöße bareness, nakedness, weak point]; der bloße Gedanke, Anblick usw. the mere thought, look, etc.; bloßer (purer) Neid pure envy

***blühen** bloom, have blossoms, flourish
Die meisten Blumen blühen nur im Sommer.

die **Blume, –n (*cog.* bloom) (blühen) flower

*das **Blut,** –es blood [bluten bleed; blutig bloody]; ein junges Blut young man *or* girl
Die Fische haben kaltes Blut.
Es war ihm blutiger Ernst darum. He was dead earnest about it.

die **Blüte,** –n (blühen) blossom
Der Baum stand in voller Blüte.

der **Bock,** –es, ⸗e he-goat; driver's seat
Der Kutscher sitzt auf dem Bock (box, seat).
Er hat einen Bock geschossen = Er hat einen Fehler gemacht, hat sich blamiert (made a fool of himself).

der **Boden, –s, ⸗ (*cog.* bottom) floor; ground, soil; attic; auf dem Boden on the floor *or* in the attic; jemanden zu Boden schlagen knock someone down; die Augen zu Boden schlagen cast down one's eyes

der **Bogen,** –s, — oder ⸗ (biegen) (*cog.* bow) sheet of paper; arch; curve [das Bogenfenster bay window]
Ich habe mir ein Dutzend Bögen Briefpapier gekauft.
Man soll den Bogen nicht zu fest spannen. One should not draw the bow(string) too tight (*i.e.* one should not apply extreme measures).

*die **Bohne,** –n bean; keine Bohne wert not worth a straw
Bohnen und Erbsen sind Gemüse.

bohren bore, drill [der Bohrer borer; die Bohrung boring]; ein Loch oder einen Tunnel bohren, nach Öl bohren

das **Boot**, –es, –e boat

die **Börse**, –n purse; stock exchange
Er sagt, er habe seine Börse verloren.
Der junge Mann spekuliert an der Börse.

****böse** = ärgerlich, wütend angry, bad, evil, ill; malignant, wicked [der Böse Evil One, Devil; das Böse evil; die Bosheit malice, wickedness, spite]
Er war sehr böse auf mich (angry with me) = Er war mir sehr böse.
Er meint es nicht bös. He means no harm.

der **Bote**, –n, –n messenger [die Botschaft message; embassy; der Botschafter ambassador]
Der Bote bringt eine Botschaft.

der **Brand**, –es, ⸗e (brennen) burning, fire, conflagration
Jemand hatte das Haus in Brand gesteckt (set fire to the house).
Es gerät in Brand. It catches fire.

der **Braten**, –s, —, roast [Kalbsbraten veal roast; Schweinebraten roast pork; Rinderbraten roast beef]
Der Braten war gut geraten (turned out well).

***braten**, brät, briet, gebraten roast, grill, broil, fry
Die Köchin brät und bäckt in der Küche.

****brauchen** = nötig haben need, use, require [der Brauch custom; brauchbar useful]
Der menschliche Körper braucht Nahrung und Ruhe.

****braun** brown

brausen roar, rush; effervesce
Der Sturm brauste durch die Äste der Bäume.

die **Braut**, ⸗e bride, betrothed, fiancée [der Bräutigam bridegroom, fiancé]

***brav** (*cog.* brave) good, well behaved; honest, upright
„Kinder, seid brav!“ sagte die Mutter.
Er ist ein braver, tapferer Mann.

****brechen**, bricht, brach, gebrochen break [zerbrechen break to pieces]
Not bricht Eisen (Sprichwort). Necessity knows no law.
Die Augen brachen ihm. His eyes grew dim.

****breit** broad, wide [die Breite width, breadth]

****brennen**, brannte, gebrannt burn [verbrennen burn up; cremate]

das **Brett**, –es, –er board, plank; ein Brett vor dem Kopfe haben be stupid
Er sprang vom Brett (Sprungbrett) ins Wasser.

****der Brief**, –es, –e letter [die Briefmarke (postage) stamp; der Briefträger mailman]; Briefe wechseln correspond; eingeschriebener Brief registered letter; Briefe auf die Post geben post letters die **Brille**, –n spectacles, glasses

bringen, brachte, gebracht bring; conduct; take; ein Opfer bringen make a sacrifice; zu etwas bringen = etwas werden; zustande bringen accomplish
Er bringt sich ums Leben. He commits suicide.
Er bringt ihn um sein Geld. He cheats him out of his money.
Er konnte es nichts übers Herz bringen. He did not have the heart to do it.

das **Brot, –es, –e bread, loaf [das Brötchen roll]

*die **Brücke**, –n bridge

der **Bruder, –s, ⸚, brother; fellow

brüllen bellow, roar
Das Brüllen oder das Gebrüll von Kühen heißt auf englisch „low"; von Löwen — „roar"; von Menschen — „bawl, yell".

*der **Brunnen**, –s, — (*cog.* bourn) well, fountain

*die **Brust**, ⸚e breast, chest, bosom; sich in die Brust werfen = wichtig tun throw out one's chest

der **Bube**, –n, –n = der Knabe, der Junge boy, lad; rascal [der Spitzbube rogue; der Bubenstreich roguery]

das **Buch, –es, ⸚er book [buchen to book; der Buchführer bookkeeper; der Buchhändler bookseller; die Buchhandlung bookstore; der Bücherschrank bookcase]

der **Buchstabe, –n, –n letter, character, type [buchstabieren spell]; der große Buchstabe capital letter; die buchstäbliche Bedeutung literal meaning

sich **bücken** stoop
Ich kann mich nicht bücken, der Rücken tut mir weh (my back hurts).

die **Bühne**, –n stage [die Bühnenanweisung stage direction; die Freilichtbühne open-air theater]; die Bühne betreten = auf der Bühne auftreten appear on the stage

der **Bund**, –es, ⸚e (binden) = das Bündnis (*cog.* bundle) alliance, league, confederacy; ein Bundesstaat = ein Staatenbund confederacy; einen Bund schließen form an alliance

bunt = vielfarbig, von allerlei Farben many-colored, gay-colored; motley; disorderly, topsy-turvy [die Buntheit gayness (of colors)]
An dem Abend ging es dort bunt zu. That evening things were going topsy-turvy at that place.

die **Burg**, –en = das Schloß castle, citadel

bürgen vouch for [die Bürgschaft security, bail]

*der **Bürger**, –s, — (*cog.* burgher) citizen; *pl.* townsfolk [bürgerlich civil, middle-class; der Bürgermeister mayor]

der **Bursche**, –n, –n lad, fellow; youngster [die Burschenschaft student fraternity in a German university; *hence* der Bursche *may also*

mean the student]; ein strammer Bursche (= Kerl) a regular whopper (bounder, strapper)
Er war ein ehrlicher, gutmütiger (good-natured) Bursche.

*der **Busch**, –es, ⸗e bush, shrub, thicket [buschig bushy]

der **Busen**, –s, —, bosom, breast; bay, gulf
Er ist ein Busenfreund von mir.
Wir sprechen in der Geographie von Meerbusen (bays).

büßen (*cog.* boot = advantage) atone, expiate, pay for [die Buße penance, atonement]
Er mußte den kleinen Fehler schwer büßen.

die **Butter butter

C

*der **Charakter**, –s, –e character [charakterisieren characterize; charakteristisch characteristic]
Der Mann hat keinen Charakter, er ist charakterlos.

der **Chor**, –s, ⸗e choir, chorus

der **Christ**, –en, –en Christian [das Christentum Christianity; christlich Christian]

die **Cousine**, –n *see* Kusine

D

****da** (*adv.*) there; (*conj.*) since
Da (= an der Stelle, dort) stand früher eine Kirche.
Da ich krank war, blieb ich zu Hause.

dabei thereby, thus
Du arbeitest zu schwer; du schadest dabei deiner Gesundheit.
Was ist denn dabei? What of it?
Er ist dabei, einen Brief zu schreiben. He is engaged in writing a letter.
Sie wollen Karten spielen? Ich will auch dabei sein (be one of the party).

*das **Dach**, –es, ⸗er (*cog.* thatch) roof [das Obdach (place of) shelter]: einem aufs Dach steigen (= zu Leibe gehen) call one to account, pounce down upon a person

dadurch through that
Lesen Sie so viel wie möglich; Sie lernen dadurch viele neue Wörter.

dafür for that, for it, instead of it
Das Buch hat zwei Mark gekostet. Was gibst du mir dafür?

dagegen against it; on the other hand, on the contrary
Haben Sie was dagegen, wenn ich jetzt schon fortgehe?
Er ist reich, wir dagegen sind arm.

daheim (Heim) at home

***daher** (*adv.*) from there, thence, along, this way; (*conj.*) therefore
Warst du am Bahnhof? Ja, ich komme daher.
Er fühlte sich nicht wohl, daher (= deshalb) konnte er die Arbeit nicht machen.

dahin thither, away, gone
Gehst du zum Bahnhof? Ja, ich gehe dahin.
Mein Geld ist dahin (oder hin = gone).

***damals** (Mal) = zu jener Zeit at that time, then [damalig of that time]
Er war damals noch ein junger Mann.

*die **Dame,** –n lady

****damit** (*adv.*) therewith, with that
Hier ist Geld; damit kannst du machen, was du willst.

damit (*conj.*) in order that, so that
Essen Sie genug, damit Sie später keinen Hunger haben.

dämmern dawn, grow dusky [die Dämmerung dawn, dusk, twilight]
Der Morgen dämmert. The day breaks.
Der Abend dämmert. Night sets in.

der **Dampf,** –es, ⸗e (*cog.* damp) steam, vapor [dampfen steam; der Dampfer = das Dampfboot, das Dampfschiff]
Das Dampfschiff und die Lokomotive werden mit Dampf betrieben (driven, run).

danach = darnach after it, accordingly
Danach besuchten wir eine Theatervorstellung.
Wir wollen uns danach richten (act accordingly, be guided by it).

daneben next to it, besides; amiss, astray; dicht (= gleich) daneben close by; daneben schießen miss one's mark
Hier ist sein Haus; daneben wohne ich.

der **Dank,** –es thanks, gratitude [dankbar grateful; die Dankbarkeit gratitude]; zum Dank (dafür) in gratitude (in return) for it
Vielen (herzlichen, besten) Dank! I thank you very much. Many thanks!
Gott sei Dank! The Lord be praised!

****danken** thank
(Ich) danke (Ihnen) schön (sehr, bestens). I thank you very much.
Ich danke dafür! No! None of that for me!

****dann** then, at that time [sodann then, thereupon]; dann und wann = von Zeit zu Zeit, hin und wieder
Erst arbeiten und dann spielen!

daran thereat; on; (next) to it; in it; of it
Hier ist unser Haus; gleich daran liegt ein schöner Garten.
Er ist gut (schlimm, übel) daran. He is well (badly) off.
Mir liegt viel daran. It is of great importance to me.
Ich glaube nicht daran. I do not believe (in) it.
Wer ist daran? Whose turn is it?
Er muß daran. He has to do it.

darauf thereafter, thereupon; to that; on that *or* it
Er zog sich an und verließ bald darauf das Haus.
Darauf habe ich nichts zu erwidern.
Er legt das Buch auf den Tisch (darauf).

daraus out of that; therefrom; daraus siehst du, daß ... from that you see that ...
Daraus wird nichts. Nothing will come of that.
Ich kann daraus nicht klug werden. I cannot make head or tail of it.

darin (oder drin) in there, therein
Was haben sie in der Tasche? Ich habe mein Notizbuch (memorandum book) darin.

***dar=stellen** represent; perform; present, set before [die Darstellung presentation, performance]
Was stellt dieses Bild dar?
Er hat mir die Sache anders dargestellt.

darüber over it; about it
Was hängt über dem Vogelkäfig (bird cage)? Es hängt ein Tuch darüber.

****darum** = deshalb therefore, for it; around it
Ich bin krank und kann darum nicht arbeiten.
Er hat sich sehr darum bemüht. He tried hard for it.
Binden Sie eine Schnur darum. Tie a string around it.

darunter (there) under, by it; among them
Was versteht er darunter? What does he mean by it?
Darunter steckt etwas. There is something at the bottom of it.

****daß** (*conj.*) that; sodaß so that
Wir wissen, daß die Erde rund ist.

*das **Datum**, –s date
Welches Datum haben wir heute? Den 1. (ersten) Februar.

****dauern** last, continue [die Dauer duration]
Das kann noch lange dauern. That may last a long time yet.

*der **Daumen**, –s, —, thumb; einem den Daumen halten support *or* back up someone

davon about it *or* that; of it
Davon hat er mir nichts gesagt.
Er hält nicht viel davon (von ihm). He does not think much of it (of him).
Davon ist nicht die Rede. We are not talking about that.
Was habe ich davon? What do I gain by it?
Auf und davon! Let's be off!
Bleib davon! Leave it alone!

davor in front of it
Hier ist das Haus, davor steht eine Linde.
Ich habe Angst davor. I am afraid of it.

dazu for that, to that *or* it; besides; dazu kommt, daß ... it must be added that ...

Ich will ein Haus kaufen und brauche Geld dazu.
Was sagst du dazu?
Er ist arm und alt dazu. He is poor and old besides.

dazwischen between (them)
Was steht zwischen dem Pult und der Tafel? Es steht ein Stuhl dazwischen.

die **Decke,** –n (decken) ceiling; blanket, cover
Das Zimmer hat eine Decke und einen Fußboden.
Nehmen Sie noch eine Decke, wenn es Ihnen kalt ist.

der **Deckel,** –s, —, lid, cover; mit einem Deckel versehen provide with a lid

***decken** cover; set (table) [die Deckung, die Bedeckung covering, protection, security]
Diese kleine Summe deckt meine Ausgaben nicht.

der **Degen,** –s, —, sword; (old) warrior; zum Degen greifen = den Degen ziehen

dehnen = aus=dehnen stretch, extend, enlarge
Die Wärme dehnt Metalle aus.

die **Demut** humility [demütig humble, meek]
Demut ist eine Tugend, die nur wenige besitzen.

****denken,** dachte, gedacht think [denkbar imaginable, conceivable; der Denker thinker, philosopher; gedenken remember]
Woran (an wen) denken Sie? Of what (of whom) are you thinking?
Du kannst dir nicht denken, wie . . . You can't imagine how . . .
Das läßt sich denken. That is conceivable.

das **Denkmal,** –s, ⸗er oder –e (denken) monument, memorial
Die Stadt errichtete den toten Soldaten ein Denkmal.

****denn** (*conj.*) for, then; es sei denn, daß unless it be that, provided
Er kann nicht kommen, denn er ist krank.
Wo ist er denn? Where is he anyway?

***dennoch** = trotzdem nevertheless
Viele Menschen sind arm und dennoch glücklich.

dergleichen such things, the like
Dergleichen habe ich schon oft gehört.

derjenige he who
Nur derjenige ist glücklich, welcher (oder der) keine Wünsche hat.

derselbe = derselbige the same
Dieses Kleid hat dieselbe Farbe wie deins (= das deine, das deinige).

deshalb = deswegen, darum therefore, for this reason
Ich war krank und deshalb kam ich nicht.

***desto** so much the; (je . . . desto the . . . the) je mehr, desto besser the more the better

deswegen = deshalb, daher therefore, for that reason
Er ist krank; deswegen kann er nicht arbeiten.

***deuten** explain, interpret; point (to) [die Deutung explanation, interpretation]
Können Sie dieses Rätsel deuten?
Das deutet auf gutes Wetter, sagte der Kapitän.

deutlich (deuten) distinct [die Deutlichkeit clearness]
Er spricht sehr deutlich = Er hat eine deutliche Aussprache.

****deutsch** German [die Deutschen the Germans; (das) Deutschland Germany]
Sagen Sie das auf deutsch. Say that in German.

***dicht** thick, tight, dense; close [wasserdicht waterproof]; ein dichter Wald a dense forest; dicht dabei close by

***dichten** write poetry; invent; compose [der Dichter poet; dichterisch poetic; die Dichtung poetry; fiction]
Heinrich Heine hat die Lorelei gedichtet; er ist der Dichter vieler lyrischen Gedichte.

****dick** thick, stout; G. dünn thin [das Dickicht thicket]; ein dickes Buch; eine dicke Suppe

*der **Dieb,** –es, –e thief [der Diebstahl theft]

****dienen** serve [bedienen wait upon]
Niemand kann zwei Herren dienen (Sprichwort).

der **Diener,** –s, — (dienen) servant (*masc.*) [die Dienerin servant (*fem.*); der Dienst service; duty]

*der **Dienstag,** –s, –e Tuesday

das **Dienstmädchen, –s, —, servant girl, maid

****dieser** this; G. jener that

diesmal (Mal) this time

diesseits (*gen.*) (Seite) on this side; G. jenseits on that side
Er wohnt diesseits des Flusses.

das **Ding, –es, –e = der Gegenstand thing, object [Dinger *pl.* things (of little value)]; vor allen Dingen above all
Er ist guter Dinge. He is of good cheer.

****doch** yet, however; nevertheless; but; surely; doch nicht, nicht doch surely not, certainly not, not at all; ja doch yes indeed
Er hatte viel Geld, und doch war er nicht glücklich.
Du verstehst es doch nicht. You do not understand it anyway.
Kommen Sie doch! Do come!

*der **Doktor,** –s, Doktoren = der Arzt physician

der **Dom,** –es, –e cathedral

die **Donau** Danube river

***donnern** thunder [der Donner thunder]
Wenn es blitzt und donnert, gibt es fast immer Regen.

*der **Donnerstag,** –s, –e Thursday

***doppelt** double

****das Dorf**, –es, ⸚er (*cog.* thorp) village

****dort** = da, an jener Stelle, an jenem Ort [dorther from there; dorthin that way; dorthinein in there; dort oben up there; dort unten down there]

der **Draht**, –es, ⸚e (*cog.* thread) wire

der **Drang**, –es (dringen) (*cog.* throng) urge, impulse, craving; stress; im Drang der Geschäfte under the stress *or* pressure of business
Er hatte den Drang, Arzt zu werden.

drängen (dringen) press, crowd; urge, hurry
Es drängt mich, Ihnen zu sagen . . . I feel the urge to tell you . . .
Alles drängte sich dahin. Everybody flocked thither *or* in that direction.

draußen (außen) outside; G. drinnen inside

der **Dreck**, –es = der Schmutz dirt, filth, mud [dreckig dirty]

drehen turn, wind, rotate [die Drehung turning, rotation]
Die Erde dreht sich um ihre Achse (axis).

dreifach threefold, treble; das dreifache einer Zahl three times the number

***dringen**, drang, gedrungen (h. u. f.) (*cog.* throng) penetrate; urge, press; enter by force, make one's way; eine dringende Gefahr an imminent danger; dringende Geschäfte urgent business
Der Regen ist durch das Dach gedrungen.
Sie hat darauf gedrungen (insisted), daß er seine Schulden bezahlen sollte.

drinnen inside, within; G. draußen outside
Wer ist im Zimmer? Wer ist drinnen?

drohen threaten, menace [die Drohung threat]

drollig droll, queer, funny [die Drolligkeit drollery, quaintness]; ein drolliger Kerl, eine drollige Geschichte usw.

drüben over there; G. hüben here
Er wohnt drüben am Flusse.

der **Druck**, –es (drucken, drücken) pressure; printing, print
Der Druck der Geschäfte läßt mich nicht zur Ruhe kommen.
Der Druck des Buches ist ausgezeichnet.

***drücken** press; squeeze; pinch; oppress; zu Boden drücken weigh down, crush
Jeder weiß, wo ihn der Schuh drückt (pinches).
Er hatte sich inzwischen gedrückt. Meanwhile he had sneaked out *or* away.

dulden bear, endure; suffer; tolerate; stand for [duldsam patient; die Duldsamkeit toleration]

****dumm** (⸚) (*cog.* dumb) stupid [der Dummkopf blockhead]

die **Dummheit,** –en (dumm) foolishness; stupidity
Machen Sie keine Dummheiten! Do not act foolishly. Do not commit any blunders.

dumpf = dumpfig (*cog.* thump, dump) damp, musty; hollow; dull; gloomy; ein dumpfes (stuffy) Zimmer; ein dumpfer (hollow) Laut; ein dumpfes (oppressive) Schweigen

****dunkel** dark, obscure; G. hell light [die Dunkelheit darkness; dunkeln grow dark]; dunkle Erinnerungen feeble *or* slight recollections
Es wird mir dunkel vor den Augen. My eyes grow dim.
Das Licht brennt dunkel (burns dimly, sheds feeble light).

****dünn** slim, thin; G. dick thick [die Dünne, Dünnheit thinness]; sich dünne machen make oneself scarce

****durch** (*acc.*) through, by; quer (oder mitten) durch across; durcheinander pell-mell, confusedly, all of a jumble
Er war durch und durch naß geworden.

***durchaus** = ganz und gar thoroughly, absolutely
Er ist ein durchaus ehrlicher Mann.

der **Durchgang,** –s, ⁼e (durch=gehen) thoroughfare

der **Durchschnitt,** –s, –e (durch=schneiden) average, cross section [durch=schnittlich average, on the average]
Dieser Mann verdient im Durchschnitt (= durchschnittlich) zwanzig Dollars die Woche.

durch=setzen carry through, achieve; sich durch=setzen assert oneself
Er hat seine Pläne durchgesetzt (=durchgeführt).

durchsichtig (durch=sehen) transparent; clear [die Durchsichtigkeit transparency]
Das Glas ist durchsichtig.

****dürfen,** darf, durfte, gedurft oder dürfen may, can; be permitted *or* allowed; dare
Darf ich Sie um das Brot bitten?
Hier darf nicht geraucht werden. Smoking is not permitted here.
Du darfst jetzt spielen. You may play now.
Wir dürfen eins nicht vergessen. We must not forget one thing.

dürftig needy, indigent, poor, scanty [die Dürftigkeit penury, want]; dürftig gekleidet scantily clad

****der Durst,** –es thirst [dursten be thirsty; durstig thirsty]
Nach schwerer Arbeit hat man Hunger und Durst.
Mich durstet (nach) . . . I am thirsty (for) . . .

düster = dunkel, trübe gloomy, dusky; sad, mournful; ein düsteres Schweigen a gloomy silence; düstere Farben dull colors

***das Dutzend,** –s, –e (*Fr. douzaine*) = zwölf Stück dozen

E

*eben (*adj.*) = flach, nicht bergig oder hügelig even, flat, plain, level [die Ebene plain; ebnen smooth]; ebenes Land = ohne Berge oder Hügel; zu ebener Erde on the ground floor

**eben (*adv.*) = vor kurzem (*cog.* even) just; just now [eben erst not until now; eben noch just a moment ago; ebenso likewise; soeben just now; a moment ago]
Ich wollte eben (was just on the point of) fortgehen.
Er ist eben abgereist. He just left.
Das wollte ich eben sagen. That's just what I wanted to say.
Das ist es ja eben! That's just it!

*ebenfalls = auch likewise, also
Ich bin ebenfalls ein Freund von ihm.

ebenso = geradeso in the same way, just as
Nun sind wir ebenso klug wie vorher (oder zuvor).

echt = wahr, unverfälscht, wirklich real, genuine, authentic; G. falsch, nachgemacht; kopiert [die Echtheit genuineness; authenticity]
Ihr Haar ist echt = Es ist ihr eigenes Haar.

*die Ecke, -n = die Kante, der Winkel (*cog.* edge) corner, short distance [eckig angular, cornered]; um die Ecke biegen turn the corner; einen um die Ecke bringen put a person out of the way, "take him for a ride"
Das Haus brannte an allen Ecken. The entire house was afire.

*edel = vornehm noble, lofty; precious [der Edelmann nobleman]
Er ist ein edler Mann, er handelt stets edel.

der Edelstein, -s, -e = das Juwel precious stone, gem, jewel

*ehe = bevor (*cog.* ere) before, until [eher = früher sooner, earlier; rather]; ich möchte eher . . . I would rather . . .
Besuchen Sie mich doch, ehe Sie abreisen.

*die Ehe, -n marriage; married life; matrimony [der Ehemann married man; husband; die Ehefrau married woman; wife; die Eheleute married people; das Ehepaar married couple]
Die Ehen werden im Himmel geschlossen (Sprichwort). Marriages are made in Heaven.

ehemals (Mal) = früher formerly [ehemalig former, late]

*die Ehre, -n honor; G. die Schande shame, dishonor [ehren honor, respect; ehrenvoll honorable; der Ehrgeiz ambition; ehrwürdig venerable, reverend]
Wir tun es ihm zu Ehren. We are doing it to honor him.
Das gereicht ihm zu Ehren = Das macht ihm alle Ehre (does him full credit).

ehrlich (Ehre) = ohne Falsch honest [die Ehrlichkeit honesty]
Ehrlich währt am längsten (Sprichwort). Honesty is the best policy.
Ehrlich gestanden, weiß ich nichts davon. To tell the truth (= frankly) I know nothing about it.

*das **Ei**, –es, –er egg

*die **Eiche**, –n oak

der **Eid**, –es, –e oath; einen Eid schwören = seine Aussagen beeidigen take oath upon

*der **Eifer**, –s zeal, ardor, eagerness, passion [eifrig zealous]
Er studiert mit großem Eifer = Er ist sehr eifrig in seinen Studien.

die **Eifersucht** jealousy [eifersüchtig jealous]

eigen = keinem anderen gehörig own, proper, particular; exact, neat [an=eignen acquire; die Eigenart peculiarity; eigenartig peculiar; eigenhändig with one's own hand; der Eigensinn stubbornness, obstinacy; eigensinnig stubborn, obstinate]
Ist das Ihr eigenes Buch oder gehört es jemand(em) anders?

die **Eigenschaft**, –en (eigen) (*cog.* own) quality; property; attribute
Er besitzt viele gute Eigenschaften.

eigentlich true, real; by right
Das war nicht der eigentliche Zweck meines Besuches.
Eigentlich sollte ich dich dafür bestrafen.

das **Eigentum**, –s, ⸗er (eigen) = das Besitztum property [der Eigentümer owner]
Dieses Buch ist mein Eigentum = Ich bin der Eigentümer (= der Besitzer) dieses Buches.

die **Eile** haste, hurry
Ich bin in großer Eile = Ich muß eilen = Ich habe Eile.
Das hat keine Eile. There is no hurry about that.

*__eilen__ hasten, hurry [eilig hasty, speedy, urgent, pressing]

*__ein__ a, an; one [die Einheit unit; unity; einheitlich uniform]

**__einander__ one another; each other; auseinander asunder, apart; auf einander losgehen go for each other

sich **ein=bilden** (Bild) fancy, imagine; be conceited [eingebildet conceited; die Einbildung fancy, imagination]
Viele Kranke bilden sich seltsame Dinge ein.
Er ist ein eingebildeter Narr.
Was bilden Sie sich denn ein? Who do you think you are?

der **Einblick**, –s, –e insight
Sein Benehmen (behavior) gab mir einen guten Einblick in seinen Charakter.

der **Eindruck**, –s, ⸗e (drücken) impression; G. der Ausdruck expression
Der erste Eindruck von einem Menschen mag falsch sein.

einerlei (*see* –erlei) all of the same kind, uniform; immaterial
Das ist mir einerlei. It is all the same to me = I don't care.

einerseits (Seite) on the one hand; G. anderseits on the other hand

einfach simple [die Einfachheit simplicity]
Das ist nicht so einfach, wie Sie denken.

ein=fallen (ä, ie, a) (s.) fall in, invade; occur to; collapse; sink; break down [der Einfall invasion; occurrence; idea]; eingefallene Wangen hollow cheeks
Die Brücke ist vor kurzem eingefallen (= eingestürzt collapsed).
Der Name fällt mir nicht ein (does not come to my mind).
Was fällt Ihnen (denn, nur) ein? What's the matter with you?

einfältig (falten) (*cog.* one-fold) simple, foolish [die Einfalt simplicity]
Er benimmt sich einfältig. He behaves foolishly *or* in a silly fashion.

der **Einfluß**, –(ss)es, ⸗(ss)e (ein=fließen) influence; confluence; großen Einfluß haben oder ausüben auf (exert upon); seinen Einfluß geltend machen (make felt)

ein=führen lead in, introduce; import; install; G. aus=führen lead out; export [die Einführung introduction; die Einfuhr import, importation]; in eine Gesellschaft einführen; Waren einführen import goods; Einfuhr und Ausfuhr imports and exports

der **Eingang**, –s, ⸗e (ein=gehen) entrance; G. der Ausgang exit
Eingang verboten! No admission!

ein=holen overtake; make up for; die Erlaubnis einholen get permission; das Versäumte wieder einholen (= nachholen) make up what was missed
Die Polizei hatte den Flüchtling (fugitive) schnell eingeholt.

einig united, agreed [sich einigen come to terms; die Einigkeit harmony, concord; die Einigung union, unification; agreement]
Darüber (= in der Sache) sind wir einig.

****einige** a few, some; several
Einige der Gäste spielten Karten, andere gingen im Garten spazieren.

das **Einkommen**, –s = die Einnahme income, revenue; G. die Ausgabe expenditure, expense
Sein Einkommen deckt seine Ausgaben nicht.

ein=laden (ä, u, a) load in; invite [die Einladung invitation]; Waren einladen oder aufladen; zum Ball oder zum Besuch einladen

die **Einleitung**, –en (ein=leiten) introduction to a speech; preface

****einmal** (Mal) once, once upon a time [einmalig happening but once]; auf einmal (= plötzlich) all of a sudden; mit ein(em)mal suddenly; nicht einmal not even
Es war einmal ein König. There was *or* lived once (upon a time) a king.

die **Einnahme**, –n (ein=nehmen) capture; receipt; G. die Ausgabe expenditure; die Einnahme der Festung capture of the fort; die täglichen Einnahmen daily receipts

ein=nehmen (i, a, o) take in, collect; occupy; capture
Er nimmt seine Mahlzeiten in einem Gasthaus ein. He eats his meals in a hotel.

***einsam** lonesome, solitary [die Einsamkeit loneliness; seclusion]
Er fühlt sich sehr einsam auf dem Lande; er lebt in Einsamkeit.

ein=schenken pour in, fill (a glass)

***ein=schlafen** (ä, ie, a) (s.) fall asleep; G. auf=wachen wake up
Er schlief spät ein und wachte früh auf.

ein=schließen (o, o) include; lock in *or* up; enclose; G. aus=schließen exclude, lock out [einschließlich inclusive (of)]; eine Kopie des Briefes einschließen (enclose); das Geld im Schrank einschließen (lock in)
Die Bedienung ist eingeschlossen. Service is included.

ein=schlummern (s.) fall into slumber

ein=sehen (ie, a, e) look into; consult; realize [die Einsicht insight, understanding]
Darf ich bitte Ihr Telefonbuch einsehen?
Sehen Sie denn nicht ein (see *or* realize), daß Sie einen Fehler gemacht haben?

einseitig (Seite) one-sided; G. vielseitig many-sided [die Einseitigkeit partiality]
Man soll niemals einseitig urteilen (be one-sided in judgment).

ein=setzen set in, put in; apply; insert; begin [die Einsetzung putting in; installation; appointment]; sein Leben einsetzen stake one's life; Bäume einsetzen put in (= plant) trees; seine ganze Kraft einsetzen work with all one's might; ihn zum Erben einsetzen declare *or* establish him as heir; seinen ganzen Einfluß einsetzen use all one's influence
Der Winter setzt ein (begins, sets in).

der **Einsiedler,** -s, — (siedeln) hermit, recluse

***einst** = einmal once; formerly; once upon a time [einstig former]
Einst habe ich daran geglaubt, jetzt nicht mehr.

einstimmig (Stimme) unanimous, as one voice; einstimmig wiedergewählt reëlected unanimously

einstweilen (Weile) = vorläufig for the present
Einstweilen will ich in dieser Sache keine weiteren Schritte tun (take no further steps).

ein=teilen (Teil) divide, classify; distribute [die Einteilung division, classification]; in Klassen oder Gruppen einteilen; seine Zeit gut einteilen distribute *or* budget one's time advantageously

der **Eintrag,** -s, ⸚e (ein=tragen) entry; item; income [einträglich profitable, productive; peaceful, harmonious]
Der Eintrag oder Ertrag (income) von dem Gute war sehr bedeutend.

ein=treten (i, a, e) (ſ.) (*cog.* tread) enter; step in; G. aus=treten step out; beim Eintreten oder Eintritt upon entering
Treten Sie bitte ein = Bitte einzutreten = Kommen Sie bitte herein!

der **Eintritt,** –s, –e (ein=treten) entrance

einverſtanden (verſtehen) agreed [das Einverſtändnis agreement, silent understanding]
Ich bin mit Ihrem Vorſchlag (proposition) einverſtanden.

der **Einwand,** –s, ⸗e (ein=wenden) objection

ein=wenden (a, a) object [der Einwand, die Einwendung objection, protest]
Ich habe dagegen nichts einzuwenden (no objections against it).

ein=willigen (wollen) assent, consent

der **Einwohner,** –s, —, inhabitant (of a house *or* city)
Man ſpricht von den Einwohnern einer Stadt, aber von den Bewohnern eines Landes.

***einzeln** single, individual; einzelne a few, some [die Einzelheit singleness, individuality; *pl.* particulars, details]; bis ins einzelnſte to the minutest details
Einzelne Briefe ſind ſchon angekommen.

***einzig** only, sole; unique; einzig und allein solely; mein einziger Freund my only friend; ein einziges Mal just once
Das Buch iſt einzig in ſeiner Art (unique, the only one of its kind).

*das **Eis,** –es ice [der Eisberg glacier, iceberg]; aufs Eis führen tempt, entice, mislead

*das **Eiſen,** –s iron
Not bricht Eiſen (Sprichwort). Necessity knows no law.

*die **Eiſenbahn,** –en railroad [der Eiſenbahnzug railway train]

eitel (*cog.* idle) vain, conceited [die Eitelkeit vanity, conceit]; eitles Geſchwätz (= Gerede) idle *or* silly talk; eitel (= lauter) Gold pure gold
Man ſagt, daß die Frauen eitler ſeien als die Männer.

elend (*cog.* else) miserable, wretched [das Elend misery]; elende Lage (= jämmerlicher Zuſtand) pitiful condition; elend (= krank) ausſehen look wretched (ill)

die **Eltern (*pl. only*) parents

***empfangen,** empfängt, empfing, empfangen receive, welcome; conceive [der Empfang receipt; reception; der Empfänger receiver, consignee; empfänglich susceptible]
Er hat uns ſehr freundlich empfangen.
Haſt du meinen Brief empfangen (= erhalten, bekommen)?

***empfehlen,** empfiehlt, empfahl, empfohlen recommend; ſich empfehlen take leave [die Empfehlung recommendation; compliments]
Wer hat den Mann empfohlen?

Empfehlen Sie mich Ihrem Herrn Vater. Give my regards to your father.
Er empfiehlt sich (= er nimmt Abschied). He takes his leave, says good-bye, *or* sends his regards.

***empfinden,** empfindet, empfand, empfunden = fühlen feel, perceive [empfindlich sensitive, touchy; irritable; grievous; die Empfindung feeling, sensation; perception]
Ich habe seinen Tod schmerzlich empfunden.

empor up, upwards, on high; sich empor-arbeiten work one's way up

empören rouse to anger, excite; sich empören rebel, revolt [die Empörung uprising, rebellion, revolt; indignation]
Die Gäste waren über sein Benehmen (behavior) empört.
Das Volk empörte sich gegen die Regierung.

*das **Ende,** –s, –n end, close, finish; G. der Anfang beginning, start [enden end, finish; die Endung ending; termination]
Am Ende der Woche gehe ich fort.
Am Ende kommt er gar nicht. He may not come after all.

endlich in the end, finally, at last
Nach langem Suchen haben wir es endlich gefunden.

****eng** narrow, tight; G. breit broad; weit wide [die Enge narrow place]; das Kleid enger machen (take in); im engeren Sinne in a restricted sense; engverbunden intimately connected
Die Schuhe sind mir zu eng.

der **Engel,** –s, — (*Lat. angelus*) angel

*(das) **England,** –s England [der Engländer Englishman; englisch English]

*der **Enkel,** –s, — (*cog.* ankle) grandson [die Enkelin granddaughter; das Enkelkind grandchild]

entbehren (*cog.* bear) lack, miss; do without, dispense with [entbehrlich dispensable; G. unentbehrlich indispensable; die Entbehrung want, privation]
Geld können wir entbehren, aber nicht die Gesundheit.

entblößen (bloß) bare, uncover, deprive of; mit entblößtem Haupte bareheaded; aller Mittel entblößt without any means, destitute

entdecken discover [die Entdeckung discovery]
Im Jahre 1492 ist Amerika von Kolumbus entdeckt worden.

die **Ente,** –n duck

entfalten unfold; display [sich entfalten = sich entwickeln; die Entfaltung display, development]; voll entfaltet full blown
Im Sonnenlicht entfalten sich die Blumen schnell.

entfernen (fern) remove; sich entfernen go away, withdraw [entfernt distant; die Entfernung distance]

entfliehen (o, o) (s.) escape
Er entfloh seinen Verfolgern. He escaped (from) his pursuers.
Die Zeit ist uns schnell entflohen. The time went by quickly for us.

entgegen (*dat.*) in opposition to, contrary to; towards; seinem Wunsch entgegen = entgegen seinem Wunsche

entgegengesetzt opposite; contrary, opposed
Er ging in entgegengesetzter Richtung davon.

entgegnen (entgegen) = antworten oder erwidern reply, retort [die Entgegnung = die Antwort]

entgehen (i, a) (s.) = entkommen, entlaufen escape
Der Gefangene entging seinen Verfolgern.
Das ist mir entgangen. I did not notice it.

enthalten (ä, ie, a) contain
Was enthält der Brief? = Was ist der Inhalt des Briefes?

enthüllen (Hülle) unveil; reveal, disclose; G. verhüllen cover, veil [die Enthüllung unveiling; revelation]
Das Kriegsdenkmal wurde feierlich enthüllt.

entkommen (a, o) (s.) = entgehen, entfliehen get away, escape; mit knapper Not entkommen escape with the greatest difficulty

***entlang** along; am Flusse entlang along the river; den Weg entlang along the road

entlassen (ä, ie, a) dismiss, discharge [die Entlassung discharge]

entlasten (Last) unburden, relieve

entmutigen (Mut) discourage; G. ermutigen encourage

entreißen (i, i) tear away, snatch from; jemanden der Gefahr entreißen save someone from danger
Er entriß mir den Brief, als ich ihn lesen wollte.

entsagen renounce [die Entsagung resignation, renunciation]
Es ist nicht leicht, allen Hoffnungen zu entsagen.

***entscheiden** (ie, ie) = beschließen decide; sich entscheiden make up one's mind [entschieden decided, determined; die Entschiedenheit determination; die Entscheidung = der Entschluß (resolution)]
Er hat sich entschieden, die Reise zu machen.

*sich **entschließen** (o, o) decide [der Entschluß decision]
Er entschloß sich, nach Amerika auszuwandern.

entschlossen, Entschluß *see* entschließen

entschuldigen (Schuld) excuse, pardon; sich entschuldigen apologize [die Entschuldigung apology, excuse]
Hast du dich beim Lehrer entschuldigt?

das **Entsetzen,** –s terror, fright [entsetzen frighten; dismiss; relieve; entsetzt sein be horrified *or* terrified; entsetzlich horrible, horrid; die Entsetzung dismissal]

Er sah mit Entsetzen, daß es keine Rettung gab.
Er wurde seiner Stellung entsetzt (dismissed from his position).

entsprechen (i, a, o) correspond to; agree with; dem entsprechend accordingly
Das entspricht ganz und gar meinem Wunsch.

entspringen (a, u) (s.) = entkommen, entgehen, entfliehen escape; come from; rise
Der Verbrecher ist aus dem Gefängnis entsprungen.
Die Elbe entspringt im Riesengebirge. The Elbe rises in the Giant Mountains.

***entstehen** (a, a) (s.) come about; originate; start, arise [die Entstehung formation; rise, origin]
Wie ist das Feuer eigentlich entstanden?
Was auch daraus entstehen mag . . . Whatever may come of it . . .

enttäuschen disappoint, disillusion [die Enttäuschung disappointment]
Es ist immer schwer, jemanden enttäuschen zu müssen.

entwaffnen (Waffe) disarm; G. bewaffnen arm [die Entwaffnung disarming]
Seine kluge Antwort hat mich entwaffnet.

entweder . . . oder either . . . or
Das ist entweder die Wahrheit oder eine gut erfundene Lüge.

entweichen (i, i) (s.) = entspringen, entkommen, entlaufen escape
Der Gefangene ist aus dem Gefängnis entwichen.

***entwickeln** develop; evolve [die Entwick(e)lung development; evolution; die Entwicklungslehre theory of evolution]
Manche Kinder entwickeln sich sehr langsam.

entziehen (o, o) deprive of; withdraw [die Entziehung deprivation, withdrawal]
Ich muß ihm meine Hilfe entziehen; er verdient sie nicht.
Er entzog sich unseren Blicken. He disappeared from our sight.

entzücken delight, enchant, enrapture [das Entzücken, die Entzückung delight, rapture; entzückend charming, delightful]; in Entzückung geraten go into raptures, be delighted

***entzünden** kindle; inflame; sich entzünden catch fire; get inflamed [die Entzündung kindling, ignition; inflammation]
Das Feuer hatte sich während der Nacht entzündet.

*der **Erbe**, –n, –n heir [das Erbe = die Erbschaft inheritance; erben inherit, fall heir to; die Erbin heiress]

erbitten (a, e) beg for, ask for
Er erbat sich drei Tage Bedenkzeit. He asked for three days' respite *or* time to consider.

erbleichen (i, i) (s.) (bleich) grow pale, die

erblicken catch sight of; das Licht der Welt erblicken come into the world
Als mein Freund mich erblickte, grüßte er mit der Hand.

die **Erbschaft** (Erbe) inheritance, legacy; eine Erbschaft antreten come into a legacy, enter upon an inheritance; eine reiche Erbschaft machen be left a large fortune

*die **Erbse**, –n pea

*die **Erdbeere**, –n strawberry

die **Erde earth; soil, ground; hier auf Erden on this earth, here below; einen unter die Erde bringen be the death of a person; bury

das **Ereignis**, –(ss)es, –(ss)e event, occurrence [sich ereignen occur, happen, come to pass]
Die Geburt eines Söhnchens war für das junge Paar ein freudiges Ereignis.

***erfahren** (ä, u, a) learn, come to know, find out; experience [die Erfahrung experience; erfahren experienced, expert, skillful]
Wie hast du das erfahren?
Er ist in solchen Dingen unerfahren.

erfassen seize; comprehend
Man muß den günstigen Augenblick erfassen.
Er hat die Idee gleich erfaßt (caught the idea, caught on).

erfinden (a, u) invent [die Erfindung invention; der Erfinder inventor; erfinderisch ingenious]
Es wird jeden Tag etwas Neues erfunden.
Er hat das Pulver nicht erfunden (Sprichwort). He will never set the world on fire.

*der **Erfolg**, –s, –e (*cog.* follow) success, result [erfolgreich successful]
Ich wünsche Ihnen den besten Erfolg.

erfolgen (s.) ensue, result
Die Entlassung des unehrlichen Beamten erfolgte am nächsten Tage.

erfordern = verlangen require, demand [erforderlich = nötig; das Erfordernis necessity, exigency]
Diese Arbeit erfordert Geduld und Kenntnisse.

erfreuen bring joy to, gladden; sich erfreuen enjoy [erfreulich delightful, pleasing]
Die Nachricht hat uns sehr erfreut.
Er erfreut sich einer guten Gesundheit. He enjoys (he is in) good health.
Ich bin darüber sehr erfreut. I am much pleased about it.

erfüllen = gewähren fulfill, grant [die Erfüllung fulfillment]; von Wut oder Zorn erfüllt boiling over (inflamed, fired) with rage, anger
Du könntest mir den Wunsch erfüllen, wenn du nur wolltest.

ergänzen (ganz) = vervollständigen = vollständig machen complete, supplement [die Ergänzung completion]
Ergänzen Sie den Satz durch ein Objekt.
Der Kaufmann muß von Zeit zu Zeit seinen Warenvorrat (stock of goods) ergänzen.

ergeben (i, a, e) yield; sich ergeben surrender [die Ergebenheit, die Erge-

bung submission; das Ergebnis result]; daraus ergibt sich it follows from that; sich dem Studium ergeben apply oneself to study; Ihr sehr ergebener oder Ergebenst Ihr Your most devoted *or* Most sincerely yours (*closing of letter*)
Die Soldaten ergaben sich der Übermacht.

ergötzen = erfreuen delight [die Ergötzung pleasure, delight]; sich an (*dat.*) etwas ergötzen take delight in something

ergreifen (i, i) (*cog.* gripe, grip) seize; Besitz ergreifen take possession; einen Beruf ergreifen choose a profession; die Flucht ergreifen take to flight; Maßregeln ergreifen adopt measures; seine Partei ergreifen be on his side

ergründen (Grund) fathom

erhaben (heben) sublime, exalted; elevated; above [die Erhabenheit loftiness]; eine erhabene Stimmung exalted mood
Er ist über solche Kleinigkeiten erhaben (above, superior to).

erhalten (ä, ie, a) = bekommen (*cog.* hold) get, receive; keep; support [die Erhaltung preservation]; gut erhalten well kept *or* preserved
Er erhält jeden Tag Briefe von seinem Freunde.

erheben (o, o) raise; sich erheben get up [erhebend elevating; die Erhebung raising; rebellion *or* rising]; Stimme erheben raise one's voice; Schwierigkeiten erheben make difficulties; Geld bei der Bank erheben draw money from the bank; sich vom Stuhl erheben get up from one's seat (chair)

erhitzen (Hitze) heat, inflame; sich erhitzen become heated, get into a passion
Er war vom Laufen ganz erhitzt.
Es lohnt sich nicht (it does not pay), sich über Kleinigkeiten zu erhitzen (get angry).

erhöhen (hoch) heighten, raise; elevate; exalt; G. erniedrigen lower [die Erhöhung elevation, raising]; den Preis erhöhen; die Miete erhöhen

sich **erholen** recover; set up; recuperate [die Erholung recovery; recreation]
Er war lange im Hospital, hat sich aber von seiner Krankheit gut erholt.

***erinnern** remind; sich erinnern remember, recollect, recall [die Erinnerung remembrance, recollection, reminiscence(s)]; etwas zur Erinnerung something to remember by
Erinnere mich bitte daran. Remind me of it please.
Erinnern Sie sich noch meiner oder an mich? Do you still remember me?

*sich **erkälten** (kalt) catch cold [die Erkältung cold, catarrh]; sich eine Erkältung zuziehen catch cold
Bei kaltem und nassem Wetter erkältet man sich sehr leicht.

erkennen (a, a) recognize [die Erkenntnis perception, understanding]; an der Stimme erkennen; sich zu erkennen geben make oneself known
Ich habe dich auf den ersten Blick erkannt.

***erklären** (klar) explain, elucidate, interpret; declare [erklärlich explicable; die Erklärung explanation]

erkranken (s.) (krank) fall *or* be taken ill [die Erkrankung illness]
Die ganze Familie im Nachbarhaus ist schwer erkrankt.

sich **erkundigen** (kund) inquire [die Erkundigung inquiry]; über jemanden oder über etwas Erkundigungen einziehen (make inquiries, gather information]
Hast du dich nach seiner Gesundheit erkundigt?

erlangen = erringen obtain; attain, reach; acquire [die Erlangung acquisition]
Nach vielen Kämpfen hat er sein Ziel erlangt.

***erlauben** permit [die Erlaubnis permission]
Wer hat Ihnen erlaubt hier zu rauchen?

erleben live to see, experience [das Erlebnis experience, event, adventure]
So etwas habe ich noch nie erlebt. I have never experienced anything like it.
Das Buch hat zehn Auflagen erlebt (ran through ten editions).

erledigen (ledig) finish, take care of, settle [die Erledigung dispatch, settlement]
Das ist erledigt. That's settled *or* finished.

***-erlei** kinds of [allerlei; einerlei; keinerlei; mancherlei; zweierlei]

erleichtern (leicht) lighten, relieve, alleviate; G. erschweren burden, make more difficult [die Erleichterung relief]; das Gewissen erleichtern ease one's conscience; die Last erleichtern relieve the burden; sein Herz erleichtern unburden one's heart

erlöschen (s.) go out, expire; grow dim, pass away
Einmal muß unser Lebenslicht erlöschen.

erlösen save, redeem; deliver [die Erlösung salvation; der Erlöser Saviour]; von seinen Leiden durch den Tod erlöst (delivered); aus der Gefahr erlöst (rescued)

ermöglichen (möglich) enable
Der Vater hat ihm das Studium ermöglicht = möglich gemacht.

ermüden (h. u. s.) (müde) tire out, fatigue [die Ermüdung fatigue]
Er war von dem langen Spaziergang sehr ermüdet = Der lange Spaziergang hat ihn sehr ermüdet.

ermuntern (munter) encourage; enliven

ermutigen (Mut) encourage; G. entmutigen discourage [die Ermutigung encouragement]
Er hat mich nicht dazu ermutigt. He did not encourage me to do it.

ernähren nourish, feed; support [die Ernährung nourishing, maintenance]
Er verdient nicht genug, um seine Familie zu ernähren.

ernennen (a, a) nominate; appoint [die Ernennung appointment]; zum Direktor, zum Präsidenten usw. ernennen

erneuen (neu) = erneuern renew; renovate [die Erneuerung renewal]
Mein Vater hat den Miet(s)vertrag (lease) erneut.
Wir haben die alten Möbel erneuern lassen (had . . . renovated).

erniedrigen (niedrig) lower, debase; G. erhöhen raise, elevate [die Erniedrigung debasement, humiliation]
Man kann mich wohl niedrig behandeln, doch nicht erniedrigen.

***ernst** earnest, serious; grave, stern [der Ernst seriousness, gravity, severity; ernsthaft serious-minded; ernstlich earnest, serious]
Er ist ein ernster Mann; er sprach sehr ernst darüber.
Es ist sein Ernst = Er meint es ernst oder ernstlich. He is in earnest (about it).

die **Ernte**, –n harvest, crop [ernten harvest, reap, gather in]
Die Erntezeit fällt (takes place) in den Herbst.

erobern (*stem:* ober, über) conquer [die Eroberung conquest; der Eroberer conqueror]
Cäsar hat viele Länder erobert.

erörtern discuss [die Erörterung discussion]
Wir haben die Frage gründlich erörtert.

erquicken (*stem:* keck = pert, bold) = erfrischen refresh [die Erquickung = die Erfrischung]
Das kalte Bad hat mich sehr erquickt.

erraten (ä, ie, a) guess
Du hast meine Gedanken erraten.

erregen = auf-regen excite, stir up [erregbar excitable; die Erregung excitement]; den Appetit erregen (sharpen); Erstaunen erregen cause surprise; Mitleid erregen arouse pity
Das Urteil des Richters erregte die Menge.

erreichen reach, attain [die Erreichung attainment]
Er hat die Stadt noch vor Abend erreicht.

errichten erect [die Errichtung erection]
Die Stadt errichtete den gefallenen Soldaten ein Denkmal.

erringen (a, u) = erlangen obtain (by great effort) [die Erringung obtaining; die Errungenschaft achievement]; den Sieg erringen gain *or* win a victory
Der Schüler errang den ersten Preis.

erröten (s.) (rot) = rot werden blush
Das Mädchen errötete, als die Lehrerin sie schalt.

erscheinen (ie, ie) (s.) (*cog.* shine) appear [die Erscheinung appearance]
Das Buch erschien vor einem Jahre.

erschöpfen exhaust [die Erschöpfung exhaustion; unerschöpflich inexhaustible]
Er war von der schweren Arbeit erschöpft.

erschrecken (Schreck) scare, alarm, frighten
Dein unerwartetes Erscheinen hat mich erschreckt.

erschrecken, erschrickt, erschrak, ist erschrocken be scared, be frightened
Er erschrickt sehr leicht. He is easily scared.

erschüttern (schütteln) shake, move [die Erschütterung emotion, shock]
Das Unglück hat uns alle tief erschüttert.

erschweren (schwer) make more difficult, aggravate; G. erleichtern make easier [die Erschwerung aggravation; das Erschwernis impediment]
Sein törichtes Benehmen erschwert seinen Erfolg.

ersetzen replace [die Ersetzung replacement, reparation]; den Schaden ersetzen make amends, repair damage

ersichtlich (sehen) = augenscheinlich, klar
Es ist ersichtlich, daß er die Tat begangen hat.

ersparen save up [die Ersparnis savings]
Ersparen Sie sich die Mühe. Save yourself the trouble.

****erst** = zuerst first, leading, foremost; at first; not until [der erstere the former]; der erste beste the first comer; der erste Minister the Prime Minister; der erste Liebhaber the leading man (in a theater)

erstatten (statt) render; compensate, restore; give a report [die Erstattung rendering; delivery]; einen Dienst erstatten (= erweisen) render a service; seine Schuld zurückerstatten repay one's debt; einen Bericht erstatten make a report

erstaunen (h.) astonish; (s.) be astonished [erstaunlich astonishing; erstaunt astonished]
Seine Frage hat mich erstaunt = Ich war über seine Frage erstaunt.

erstens (zweitens, drittens usw.) in the first place, first
Erstens kann ich es nicht und zweitens will ich es nicht tun.

ersticken (h. u. s.) choke, suffocate [die Erstickung stifling, suffocation]
Der Hund ist an einem Knochen erstickt.
Diese Luft ist zum ersticken (enough to suffocate one)!
Man hat die Rebellion (den Aufstand) im Keime erstickt (nipped in the bud).

sich **erstrecken** stretch; extend
Der Wald erstreckte sich bis zum See.

ersuchen beseech, request, ask for
Er ersuchte mich um ein Darlehen.

ertragen (ä, u, a) = dulden bear, stand [erträglich endurable, tolerable]
Was man nicht ändern kann, muß man ertragen.

ertrinken (a, u) (s.) drown, be drowned
Der Sage nach (according to the legend) ist Kaiser Barbarossa in einem Flusse ertrunken.

erwachen (s.) = auf-wachen awake, wake up
Als er erwachte, war es schon spät am Tage.

erwachsen (ä, u, a) (s.) grow up [die Erwachsenen adults]

erwägen (o, o) weigh; ponder, consider [die Erwägung consideration]
Wir haben alles wohl erwogen (considered thoroughly).

erwählen select, elect [die Erwählung = die Wahl]
Er wurde einstimmig (unanimously) zum Vorsitzenden (chairman) des Vereins erwählt.

***erwähnen** mention; allude to [die Erwähnung mention]
Hat er meinen Namen nicht erwähnt?

erwärmen (warm) warm, heat [die Erwärmung warming]
Bei der eisigen Kälte konnte man die Zimmer kaum erwärmen.
Ich kann mich dafür nicht erwärmen (get enthusiastic about *or* over it).

erwarten expect; await, wait for [die Erwartung expectation]
Ich erwarte Sie heute abend.

erwecken awaken, arouse [die Erweckung awakening, rousing]; den Ehrgeiz oder die Hoffnung erwecken

erweisen (ie, ie) render, prove [die Erweisung showing, proving]; einen Gefallen erweisen do a favor; einen Dienst erweisen render a service; die letzte(n) Ehre(n) erweisen pay the last tribute; sich dankbar erweisen prove oneself grateful

erweitern (weit) = vergrößern widen, enlarge, expand [die Erweiterung expansion]; seine Kenntnisse oder seinen Gedankenkreis (intellectual horizon) erweitern

erwerben, erwirbt, erwarb, erworben = verdienen; zu eigen machen gain, acquire; earn [der Erwerb gain, living, livelihood; die Erwerbung acquisition]
Das Wenige, was er besitzt, hat er durch harte Arbeit erworben.

erwidern (wider) = antworten, entgegnen reply (to) [die Erwiderung reply]; den Besuch erwidern return a call *or* a greeting; seine Liebe erwidern reciprocate his love

das **Erz,** –es, –e ore
Der Bergmann (miner) fand wertvolles Erz.

****erzählen** = mit-teilen tell, narrate [der Erzähler narrator, story teller; writer of fiction; die Erzählung tale, narration; short story]

erzeugen = schaffen produce, beget, generate [das Erzeugnis product, produce]
Brennende Kohlen erzeugen Hitze.

***erziehen** (o, o) bring up, educate [der Erzieher educator; die Erziehung bringing up; education, training]
Er ist gut gebildet, aber schlecht erzogen. He has received good schooling, but has been poorly brought up.

der **Esel, –s, —, ass, donkey

****essen,** ißt, aß, gegessen eat [das Essen meal]

der **Essig** (*Lat. acetum*) vinegar
Damit ist es Essig! The matter is a failure.

etliche = einige some, a few

***etwa** = vielleicht; ungefähr perhaps; about, approximately
Denkst du etwa (= vielleicht), daß ich die Geschichte nicht kenne?
Er ist etwa (= ungefähr) dreißig Jahre alt.

****etwas** = ein wenig a little, some, something, somewhat
Ich möchte etwas Brot haben. I should like to have some bread.
Hat er dir etwas (something) darüber erzählt?
Er war noch etwas (somewhat) schläfrig, als er aufstehen mußte.

die **Eule**, –n owl

***ewig** (*cog.* æon *from Gr.*) = ohne Anfang und Ende eternal; everlasting, perpetual [die Ewigkeit eternity]; ewiger Schnee perpetual snow; seit ewigen Zeiten since the beginning of all things; auf ewig forever; immer und ewig forever and ever
Das ist ewig Schade. That's a great pity.

F

die **Fabrik**, –en factory [das Fabrikat (manufactured) product; der Fabrikant manufacturer; die Fabrikation manufacture]
Diese Fabrik beschäftigt mehrere tausend Arbeiter.

*das **Fach**, –es, ⸗er branch; line of work; profession; drawer; compartment [zweifach twofold; dreifach threefold, etc.]; ein geheimes Fach secret drawer
In den Schulen werden verschiedene Fächer (subjects) unterrichtet.
Was ist eigentlich sein Fach (line of work)? Er ist im Lehrfach (teaching profession).

der **Faden**, –s, — *or* ⸗, thread, twine [der Bindfaden twine]
Sein Leben hing an einem Faden.
Es ist kein guter Faden (= keine gute Faser) an ihm. He hasn't a single good quality.

fähig able, capable [die Fähigkeit ability, capability]
Er ist zu allem fähig. He is capable of anything (= apt to do most anything).

die **Fahne**, –n = die Flagge flag, banner
Jedes Land hat als Symbol eine Fahne.

****fahren**, fährt, fuhr, ist gefahren (*cog.* fare) ride, drive; go (in a wagon, an auto, a boat, etc.) [der Fahrplan time-table; der Fahrstuhl lift, elevator; das Fahrzeug vehicle, vessel]

die **Fahrkarte**, –n (*cog.* fare card) ticket
Auf der Eisenbahn muß jeder eine Fahrkarte vorzeigen.

die **Fahrt**, –en (fahren) (*cog.* fare) ride, journey [die Rundfahrt round trip]
Die Fahrt von New York bis Bremen dauert sechs Tage.

der **Fall**, –es, ⸗e (fallen) fall; case [falls = im Falle in case]; im Falle, daß du krank wirst in case you get sick; auf alle Fälle at all events; auf jeden (keinen) Fall in any case; on no account

**fallen, fällt, fiel, ist gefallen fall; mit der Tür ins Haus fallen speak bluntly, blurt out; einem ins Wort fallen interrupt one's speech; einem zu Last fallen become a burden to someone
Er ist nicht auf den Mund (den Kopf) gefallen (not tongue-tied; no fool).
Die Sache fällt mir schwer. The thing is difficult for me.
Das fällt ihm auf. That arrests his attention, seems strange to him.
Mir fällt etwas ein. An idea comes (occurs) to me.
Das wollen wir lieber fallen lassen. It will be better to omit *or* drop that.

fällen fell, chop down, cut down; kill

**falsch false, incorrect, wrong; deceitful, forged; counterfeit; G. richtig right, correct, true [fälschen falsify; forge; adulterate; die Falschheit deceit]
Ich habe dich falsch verstanden.
Die Uhr geht falsch.

falten fold [die Falte fold, plait; wrinkle]; die Stirn falten oder in Falten ziehen = wrinkle one's brow
Das Kind faltet die Hände zum Gebet.

die **Familie, –n family

**fangen, fängt, fing, gefangen (*cog.* fangs) catch, capture [der Fang catch; der Fänger captor; gefangen nehmen take prisoner *or* captive]

die **Farbe, –n color [färben color, dye, stain; farbig colored; der Farbstoff dye-stuff; die Färbung coloring, tinge]; echte Farben fast colors; Farbe bekennen follow suit (in card games); tell the truth

*das **Faß,** –(ss)es, ⸗(ss)er (*cog.* vat) barrel, cask, keg, tub; dem Fasse den Boden ausschlagen ruin a plan
Die Brauerei braucht Fässer für Bier, Wein und andere Getränke.

***fassen** grasp, seize; frame; contain [die Fassung wording, composure]; ins Auge fassen fix one's glance upon; einen Gedanken fassen form (conceive) an idea; Mut fassen take courage
Ich kann das gar nicht fassen (= verstehen).
Er faßte ihn bei den Haaren.
Der Saal faßt (holds, accommodates) an die hundert (approximately one hundred) Menschen.
Fassen Sie sich! Compose yourself!

***fast** = beinahe almost, nearly

faul (*cog.* foul) lazy; rotten [die Faulheit laziness]
Dieser Knabe ist nicht fleißig, er ist faul.
Diese Eier sind nicht frisch, sie sind faul.

die **Faust,** ⸗e fist
Er tut es auf eigene Faust. He does it on his own responsibility, independently.

fechten, ficht, focht gefochten = kämpfen fence, fight [der Fechter fencer; die Fechtstunde fencing lesson]
Sein Sohn nimmt Fechtstunden bei einem berühmten Fechtlehrer.

die **Feder, –n pen; feather, plume; pen (point); spring [das Federkissen eider-down cushion; die Federmatratze spring mattress; das Federmesser penknife]; die Feder führen wield the pen
Er liegt noch in den Federn. He is still abed.

****fehlen** (*cog.* fail) ail; be missing
In diesem Buche fehlt eine Seite.
Was fehlt Ihnen? What ails you? What is the matter with you?
Es fehlt mir an . . . (*dat.*) I lack (in) . . .
Das fehlte noch! That's what I was waiting for! That is the last straw!

der **Fehler, –s, — (fehlen) mistake, blunder, error; flaw, defect [fehlerhaft incorrect, faulty; defective]; Fehler begehen (= machen); Fehler korrigieren (= verbessern)

***feiern** celebrate; rest from work [die Feier celebration, festival; feierlich festive, solemn; die Feierlichkeit solemnity; pomp; der Feiertag holiday]
Am fünfundzwanzigsten Dezember feiern wir Weihnachten.

feig cowardly; G. tapfer brave [die Feigheit cowardice; der Feigling coward]
Er ist feig und ehrlos dazu.

feil = käuflich oder verkäuflich for sale
Dieser Ring ist mir um keinen Preis feil.

****fein** fine, refined, polite; beautiful, elegant; excellent, splendid [die Feinheit fineness, thinness; elegance]
Das Kleid ist aus feinem Stoff gemacht.
Marie hat ein feines (= schönes) Kleid.

der **Feind, –es, –e (*cog.* fiend) enemy, foe [feindlich hostile; die Feindschaft enmity, hostility]

das **Feld, –es, –er field, meadow

das **Fell**, –es, –e (*cog.* fell) fur, skin, hide; einem das Fell über die Ohren ziehen fleece a person, get the best of him
Das Fell von seltenen Tieren ist sehr teuer.

*der **Fels** (oder Felsen), –ens, –en rock; cliff [das Felsengebirge Rocky Mountains]
An manchen Stellen am Rhein sind hohe Felsen auf beiden Seiten des Stromes.

das **Fenster, –s, — (*Lat. fenestra*) window [die Fensterscheibe windowpane]

*die **Ferien** (*Lat. feriae*) = freie Zeit (*pl. only*) vacation
Wann fangen Ihre Sommerferien an?

***fern** far, distant, remote [die Ferne distance; remoteness; ferner further; insofern als in so far as]; aus der Ferne from the distance
Das liegt ihm fern. That's far from his thoughts.

**fertig = bereit ready, done, finished; ready-made [die Fertigkeit dexterity]; mit jemandem fertig werden manage, cope with someone
Bist du fertig? Dann laß uns gehen!

fesseln fetter, chain; captivate, fascinate [die Fessel fetter, chain, shackles]
Der Gefangene wurde gefesselt.
Der Inhalt des Buches fesselte mich.

fest fast, solid, firm; steady, fixed; sound; fortified [die Festigkeit firmness, solidity; steadiness]; fest versprechen promise positively
Ich glaube fest daran. I believe in it firmly.
Ich nahm es mir fest vor, zu . . . I thoroughly made up my mind to . . .

*das **Fest, –es, –e** (*cog.* feast) festival, holiday [festlich festive; die Festlichkeit festivity; der Festtag festive day, holiday]
Das Weihnachtsfest ist bei groß und klein sehr beliebt.

fest=setzen fix, establish, ascertain; sich festsetzen settle (down) [die Festsetzung settlement; statement]
Der Preis des Hauses wurde auf zehn tausend Mark festgesetzt.
Der Staub setzt sich in allen Ecken des Hauses fest.
Es wurde festgesetzt (ascertained), daß . . .

die **Festung, –en** (fest) fortification, fortress

fett fat [das Fett lard, fat, grease; fettig fatty, greasy] Fett ansetzen grow fat; fette Kost rich food *or* living

feucht moist, damp, humid [die Feuchtigkeit moisture, dampness, humidity]; eine feuchtfröhliche Stimmung a jolly mood caused by drinking
Das Wetter ist im Frühjahr oft feucht.

das **Feuer, –s, —, fire, ardor [feuern fire; die Feuerung making a fire; feurig fiery; ardent]
Er ist Feuer und Flamme dafür. He is enthusiastically for it.

das **Fieber, –s** fever [fieberhaft feverish; fiebern be in a fever, be delirious, rave]

****finden,** findet, fand, gefunden find; [der Fund findings, discovery]; sich zurecht finden find one's way about
Das findet sich, wird sich schon finden. That will take care of itself, will come about, will appear in due time. We shall see.
Er kann sich nicht darein finden. He cannot become reconciled *or* get used to it.

der **Finger, –s, —, finger [der Zeigefinger first finger; der Fingerabdruck fingerprint]; keinen Finger breit not an inch; einem scharf auf die Finger sehen watch one closely
Laß deine Finger (Hände) davon! Don't meddle with it!

finster = dunkel dark, obscure; gloomy; sad [die Finsternis darkness, obscurity]; ein finsterer Blick sullen, scowling, *or* sinister look; im Finstern tappen grope in the dark

der **Fisch, –es, –e fish [fischen fish; der Fischer fisherman; die Fischerei fishery]

*flach (*cog.* fluke *as in* fluke-footed) flat; shallow; plain; G. tief deep
Ein flaches Land hat keine Hügel.
Der Fluß ist an dieser Stelle sehr flach (= gar nicht tief).

die **Fläche**, –n (flach) level plain, plane surface
Vor uns dehnte sich eine weite Fläche aus.

*die **Flamme**, –n flame, blaze [flammen flame, blaze]; eine alte Flamme von mir an old sweetheart of mine

die **Flasche**, –n flask, bottle

der **Fleck**, –es, –e spot, blot, stain [fleckig spotted, stained]
Das Kind hat einen Fettfleck aufs Tischtuch gemacht.
Er kommt nicht vom Fleck. He doesn't get on, makes no progress.

flehen = beten, bitten implore, entreat; zu Gott flehen pray to God; flehentlich fervently; um Gnade flehen ask for mercy

das **Fleisch, –es (*cog.* flesh) meat, flesh [der Fleischer butcher]; sich ins eigene Fleisch schneiden injure oneself; gegen sein eigenes Fleisch und Blut against one's own children *or* blood relatives

der **Fleiß**, –es (*cog.* flite) application, diligence, industry [fleißig diligent, industrious; G. faul lazy]; mit Fleiß = mit Absicht intentionally
Ohne Fleiß kein Preis (Sprichwort). No pains, no gains.

*die **Fliege**, –n fly

****fliegen**, flog, ist geflogen fly [der Flieger flier; das Flugzeug airplane]

***fliehen**, floh, ist geflohen flee; shun, avoid
Der General mit seiner Armee floh vor dem Feinde.

****fließen**, floß, ist geflossen (*cog.* fleet) flow, run [fließend fluently; flott afloat; gay]
Die Elbe fließt in die Nordsee.
Die Tränen flossen ihr aus den Augen.
Er spricht fließend deutsch.

flott (fließen) afloat; ein Boot flott machen (set afloat); ein flotter Bursche a dashing fellow; flott leben live in style; flotte Geschäfte machen do good business

die **Flotte**, –n fleet; navy; auf der (oder bei der) Flotte dienen serve in the navy

der **Fluch**, –es, ⸗e curse [fluchen über *acc.* = verfluchen to curse]
Auf diesem Hause ruht ein Fluch. This house is under a curse.
Fluch über dich! A curse upon you!

die **Flucht** (fliehen) flight; [flüchten flee; escape; flüchtig fleeting, hasty, momentary; der Flüchtling fugitive, refugee]
Der Dieb befand sich auf der Flucht = Er flüchtete sich (was fleeing).

der **Flug**, –es, ⸗e (fliegen) flight; im Fluge schießen shoot on the wing (while in flight)

der **Flügel**, –s, — (*cog.* fly) wing; grand piano [die Flügeltür folding door]; die Flügel hängen lassen droop one's wings; be downcast
Das Mädchen sitzt am Flügel und spielt Volkslieder.

der **Flur**, –es, –e = das Vorzimmer (*cog.* floor) hall, vestibule
Man tritt zuerst in den Flur und von dort in das Wohnzimmer.

die **Flur**, –en = die Wiese field, meadow
Auf den Fluren wachsen liebliche Blumen.

der **Fluß**, –(ss)es, ⸚(ss)e (fließen) (*cog.* fleet) = der Strom river; flow [flüssig liquid; die Flüssigkeit fluid, liquid]; Fluß der Rede fluency of speech, flow of language

flüstern = leise sprechen whisper
Wenn man heiser (hoarse) ist, kann man nur flüstern.

die **Flut**, –en flood, inundation; high tide; eine Flut von Worten a torrent of words

die **Folge**, –n (folgen) result, consequence; course; series; continuation; infolge dessen = demzufolge because of that; einer Einladung Folge leisten accept an invitation
Die Folge davon war, daß sie bestraft wurden.

****folgen** (*dat.*) (s.) follow; (h.) obey [folglich consequently]; einem im Amte folgen succeed a person in office
Folgen Sie meinen Beispiel (meinem Rat usw.).

***fordern** (*cog.* further) demand; summon; challenge; claim [auf=fordern invite, ask; die Forderung demand; summons; claim; challenge]; zur Rechenschaft fordern call to account
Er fordert Geld, und da ich keins habe, kann ich seine Forderung nicht erfüllen.

***fördern** further, advance, promote [förderlich furthering, beneficial, useful]; zu Tage fördern bring to light
Seine Hilfe hat meine Arbeit bedeutend gefördert.

*die **Form**, –en (*from Lat.*) form; shape, figure; mold [formell formal; die Formel formula; förmlich regular, ceremonious; positively]
Die Form ist so wichtig wie der Inhalt.
Er raste förmlich. He was fairly (positively) raving.

forschen search into, investigate [der Forscher investigator; scholar; die Forschung research; investigation; inquiry]
Er forschte nach den Ursachen des Eisenbahnunglücks.

der **Forst**, –es, –e = der Wald forest [der Förster forester]

****fort** = weg (*cog.* forth) away, off, gone; on, farther
Ist er schon fort?
Er sprach in einem fort (on and on).

fort=dauern = fort=bestehen continue, last [die Fortdauer continuation]
Die Namen und Taten von großen Männern dauern in der Weltgeschichte fort (= leben weiter).

fort=fahren (ä, u, a) (h. u. s.) drive away; continue
Nach einer Stunde ist er fortgefahren.
Er fuhr fort (hat fortgefahren) auf den Mann zu schimpfen.

der **Fortschritt**, –s, –e (fort=schreiten) progress
Die Wissenschaft hat große Fortschritte gemacht.

fort=setzen continue [die Fortsetzung continuation]
Die Erzählung wird in der nächsten Nummer der Zeitung fortgesetzt.

fortwährend = immer, in einem fort, stets, ohne Unterbrechung continual, perpetual

****fragen** ask, question, interrogate, inquire [die Frage question; fraglich questionable]
Er fragt nach Ihnen. He is asking for you.
Es fragt sich, ob . . . It's a question whether . . .

(das) **Frankreich**, –s France

der **Franzose**, –n, –n Frenchman [französisch French]

die **Frau, –en = das Weib woman; wife; Mrs.; gnädige Frau madam, your ladyship
Ist Frau Braun (Mrs. Brown) zu Hause?
Du sollst sie zur Frau haben. You shall have her as your wife.
Wie befindet sich Ihre Frau Gemahlin? How is your good wife?

das **Fräulein, –s, — (Frau) young lady; Miss
Wer ist jenes Fräulein (= jene junge Dame)?
Ist Fräulein Braun noch da?

frech = unverschämt bold, impudent [die Frechheit insolence]; mit frecher Stirn brazen-faced

****frei** free, frank, independent; vacant, unoccupied; gratuitous [die Freilichtbühne *see* Bühne]; im Freien, ins Freie in (into) the open (air)
Sind Sie morgen frei?
Ich sage es Ihnen frei ins Gesicht. I tell you frankly to your face.

die **Freiheit**, –en freedom, liberty; license
Die Freiheit ist das höchste Gut auf der Erde.

***freilich** = natürlich, selbstverständlich to be sure, of course, certainly
Das konnten Sie freilich nicht wissen.

*der **Freitag**, –s, –e Friday

freiwillig (wollen) willing, voluntary, of one's own accord; sich freiwillig erbieten (melden) to volunteer
Er hat die Arbeit freiwillig (= aus freiem Willen) unternommen.

****fremd** = unbekannt strange; unknown; foreign
Ich kenne den Mann nicht; er ist mir fremd.

der **Fremde**, –n, –n = der Fremdling (fremd) stranger; foreigner; alien [die Fremde foreign country, abroad]
Der Fremde blieb bei uns über Nacht.

***fressen** (i, a, e) (essen) (*cog.* fret) devour, eat like an animal
Die Tiere fressen, die Menschen essen.

****die Freude,** –n (freuen) joy, delight, pleasure [freudig joyful; die Freudigkeit joyousness]
Das macht ihm sehr viel Freude. That gives him very great pleasure.
Er hat seine (keine) Freude daran. It gives him (no) pleasure.
Er war außer sich vor Freude (beside himself with joy).

freuen make happy; sich freuen be happy, be glad, rejoice
Das freut mich, ihn, sie usw. That makes me, him, her, etc., glad = That pleases me, him, her, etc.
Er freut sich darüber (oder dessen). He is happy about it. That pleases him.
Er freut sich darauf. He looks forward to it with pleasure.

****der Freund,** –es, –e friend [die Freundin; freundlich friendly, kind; cheerful; die Freundlichkeit friendliness, kindness; die Freundschaft friendship; freundschaftlich in a friendly manner]; aufs freundlichste in the friendliest manner; Freundschaft schließen form friendship, become friends
Er ist kein Freund von mir (of mine).

***der Friede(n),** –ns peace [friedlich peaceful]; Frieden schließen make peace

***frieren,** fror, ist (hat) gefroren freeze, congeal; feel cold [erfrieren freeze to death; zu=frieren freeze up]; mich friert = es friert mich = mir ist es kalt I am cold
Es fror ihn an den Händen. His hands were cold *or* freezing.

***frisch** fresh, brisk; new; ein frisches Grab a new grave; frisches Hemd = reines Hemd; auf frischer Tat ertappen catch in the very act

die Frist, –en = die Zeitperiode time; period (of grace); in Jahresfrist in a twelvemonth
Zwischen heute und morgen liegt eine lange Frist.

****froh** joyful, glad, happy
Ich bin sehr froh darüber. I am glad over (*or* about) it.

fröhlich (froh) merry; joyful [die Fröhlichkeit merriment]
Ich wünsche Ihnen fröhliche Weihnachten.

fromm pious, religious; futile [die Frömmigkeit piety, devotion]; ein frommes Pferd a gentle horse; ein frommer Wunsch a vain (= futile) desire
Er führte ein frommes Leben.

der Frosch, –es, ⸚e frog
Sei doch kein Frosch! Don't be a kill-joy!

der Frost, –es, ⸚e (frieren) frost, chill; (*fig.*) frigidity [frostig frosty]; durch Frost beschädigt frostbitten; ein frostiger Empfang a frigid *or* chilly reception

****die Frucht,** ⸚e (*Lat.*) fruit [fruchtbar fruitful, fertile; die Fruchtbarkeit fertility]; eingemachte Früchte preserved fruit

**früh early; G. spät late [frühzeitig early, premature; früher earlier, sooner; formerly]; in aller Frühe very early; in der Frühe early in the morning
Wir sind heute früher als sonst aufgestanden.
Man kann nicht alles behalten, was man früher einmal gelernt hat.

das **Frühjahr, –s, –e** = der Frühling spring

*der **Frühling, –s, –e** = das Frühjahr

*das **Frühstück, –s, –e** breakfast [frühstücken eat breakfast]
Hast du schon gefrühstückt (= Frühstück gegessen)?

*der **Fuchs, –es, ⸗e** fox

fügen (*cog.* fay = fit) join; sich fügen submit [hinzu=fügen add, say in addition; ineinander=fügen fit together]; es fügt sich it so happens
Ich kann nichts dagegen machen, ich werde mich fügen müssen.

**fühlen feel, perceive; touch [fühlbar tangible, perceptible; die Fühlung touch; contact]; in Fühlung treten get in touch
Er fühlt sich nicht wohl. He is not feeling well.
Das fühlt sich kalt (warm usw.) an. It feels cold (warm, etc.).

**führen lead, conduct, guide; take to [der Führer leader, guide; manager, driver; die Führung guidance; conduct, direction]; das Glas zum Munde führen raise the glass to one's lips; hinters Licht führen deceive; Krieg führen wage war; die Rechnung führen keep accounts; den Vorsitz führen preside; das Wort führen be (head) spokesman, lead the conversation
Führe uns nicht in Versuchung!

*füllen = voll machen, voll gießen fill [aus=füllen fill out, fill in; die Fülle fullness; abundance; die Füllfeder fountain pen]; Geld in Hülle und Fülle haben be rolling in money

der **Fund, –es, –e** (finden) find

der **Funke(n), –ns, –n** spark; gleam [funkeln sparkle, glitter; funken to radio, broadcast]
Das Feuer brennt, die Funken sprühen (sparkle).

**für (*acc.*) for, in place of; an und für sich in itself, apart from the rest; ein für allemal once for all; für und für forever and ever; Schritt für Schritt step by step
Ich kann nichts dafür. I cannot help it.

die **Furcht** = die Angst (fürchten) fear, fright [furchtbar, frightful; furchtsam timid]; Furcht haben = Angst haben fear, be afraid

*fürchten = Angst haben fear, dread; sich fürchten (vor) be afraid (of) [fürchterlich horrible, horrid]
Haben Sie Furcht vor dem Manne? = Fürchten Sie ihn? = Fürchten Sie sich vor ihm?

*der **Fürst, –en, –en** = der Prinz (*cog.* first) prince; sovereign [die Fürstin princess; fürstlich princely; royal]

der **Fuß, –es, ⸚e foot [der Fußball football; die Fußbank footstool; der Fußsoldat infantryman]; mit einem auf gutem (schlechtem, vertrautem) Fuße leben be on good (bad, intimate) terms with someone; zu Fuß on foot
Die Füße tun mir weh. My feet hurt.

der **Fußboden, –s, ⸚, floor (of a room)

*das **Futter**, –s (füttern) fodder, forage; lining (of a garment)
In zoologischen Gärten bekommen die Tiere einmal täglich ihr Futter.
Das Futter in diesem Rocke ist ziemlich zerrissen.

füttern feed; reline (a coat) [die Fütterung feeding]

G

die **Gabe**, –n (geben) = das Geschenk gift, present; alms; talent

die **Gabel, –n fork

der **Gang**, –es, ⸚e (gehen) (*cog.* go) walk; step; way, course, round [gangbar practicable, current]; Gänge machen run errands; in Gang bringen set in motion; außer Gang bringen throw out of gear
Sie hat einen stolzen Gang. She has a proud carriage.
Alles ist schon im Gange. Everything is in full swing.

*die **Gans**, ⸚e goose

****ganz** whole, entire, complete, total; unbroken [gänzlich complete]; ganz und gar completely, entirely, utterly; im ganzen in the main, generally; ganz besonders more especially
Wo waren Sie den ganzen Tag?

***gar** very; done, ready, finished; quite; entirely; even; gar nicht = ganz und gar nicht not at all; gar nichts nothing at all; gar kein none at all
Er ist ein gar (sehr) feiner Mann.
Das Fleisch ist gar (done, *i.e.* sufficiently cooked).

der **Garten, –s, ⸚, garden [der Gärtner gardener; die Gartenmauer garden wall; der Blumengarten, Gemüsegarten, Obstgarten usw.]

das **Gas**, –es, –e gas

die **Gasse**, –n (*cog.* gate) alley, lane [der Gassenkehrer oder Straßenkehrer street cleaner]
Eine enge Straße wird oft Gasse genannt.

der **Gast, –es, ⸚e = der Besucher guest [das Gasthaus, der Gasthof inn, tavern; der Gastwirt innkeeper; die Gastwirtin innkeeper's wife. hostess]; zu Gaste as guest
Gestern abend hatten wir mehrere Gäste.

der **Gatte**, –n, –n husband [die Gattin = die Gemahlin = die Frau wife]

das **Gebäck**, –s (backen) pastry, baker's wares

die **Gebärde,** –n gesture [sich gebärden oder gebaren demean oneself, behave]
Ich erkannte ihn an Sprache und Gebärde.

*das **Gebäude,** –s, — (bauen) building, edifice

das **Gebell,** –s (bellen) barking

****geben,** gibt, gab, gegeben give [aus=geben give out; spend]; es gibt there is, there are; das gibt's nicht that is not done *or* does not exist, there will be none of that; es gibt was something will happen
Es gibt Regen. It is going to rain.
Was gibt's? What is the matter?
Was gibt es Neues? What's the news?
Heute gibt es Fisch zum Mittagessen. We are going to have fish for dinner (*or* lunch).
Er gibt viel (wenig, nichts) darauf oder darum. He cares much (little, nothing) for it.

das **Gebet,** –s, –e (beten) prayer
Eine gute Tat ist mehr wert als ein frommes Gebet.

das **Gebiet,** –s, –e (gebieten) (*cog.* bid) territory, field; line; district; province; sphere
Wie groß ist das Gebiet?
Das ist nicht mein Gebiet (= mein Fach my field *or* line of work).

gebieten, gebot, geboten order, command; govern, rule [der Gebieter master, governor; die Gebieterin mistress]
Der Herr gebietet, und der Diener gehorcht.

das **Gebirge,** –s, — (Berg) mountain range

***geboren** born
Ich bin in Amerika geboren, also bin ich ein geborener (native) Amerikaner.
Sie ist eine geborene Schmidt. Her maiden name was Schmidt (= née Schmidt).

das **Gebot,** –s, –e (gebieten) command; commandment

der **Gebrauch,** –s, ⸗e (brauchen) custom, use; employment [gebräuchlich usual, customary]
Der Gebrauch dieses Wortes ist nicht zu empfehlen (not to be recommended).

gebrauchen use, make use of
Wer viel Haar hat, gebraucht einen Kamm; wer kein Haar hat, braucht (needs) keinen.

das **Gebrüll,** –s (brüllen) roar, bellowing, low, yell

die **Geburt,** –en (gebären) birth [der Geburtstag birthday]; bei seiner Geburt at his birth; ein Ire von Geburt an Irishman by birth

das **Gebüsch,** –es, –e (Busch) bushes, underbrush

das **Gedächtnis,** –(ss)es, –(ss)e (gedenken) (*cog.* think) memory
Manche Menschen haben ein sehr gutes Gedächtnis.

der **Gedanke(n)**, –ns, –n (denken) thought
Gedanken sind frei; niemand kann sie verbieten.

gedenken (a, a) (*gen.*) (denken) remember, recall
Gedenke des Todes!

das **Gedicht**, –s, –e (dichten) poem

das **Gedränge**, –es (drängen) crowd; pushing of the crowd
Das Gedränge in den New Yorker Untergrundbahnen (subways) ist spät nachmittags am schlimmsten.

die **Geduld** (dulden) patience [sich gedulden be patient; geduldig patient]
Der Mann hat wirklich große Geduld; er hörte uns eine ganze Stunde geduldig zu.

***die Gefahr**, –en (*cog.* fear) danger, peril; risk [gefährden endanger; gefährlich dangerous]
Es ist töricht, sich unnötig der Gefahr auszusetzen.

****gefallen** (ä, ie, a) = angenehm sein please [gefällig obliging, accommodating; die Gefälligkeit kindness, favor; complaisance; gefälligst if you please]
Das gefällt mir gar nicht. I do not like that at all.
Er läßt es sich gefallen. He puts up with it, submits (to it).
Das lasse ich mir gefallen! That's delightful!

der **Gefallen**, –s = die Gefälligkeit (gefallen) favor; pleasure
Willst du mir bitte einen Gefallen tun?
Er findet (oder hat) Gefallen daran. He finds pleasure in that (it pleases him).
Er tut es mir zu Gefallen. He does it to please me.

der **Gefangene**, –n, –n (fangen) prisoner [die Gefangenschaft imprisonment, captivity]; gefangen nehmen take prisoner *or* captive
Der Gefangene wurde auf freien Fuß gesetzt (set free).

das **Gefängnis**, –(ss)es, –(ss)e (fangen) prison

das **Gefolge**, –s, — (folgen) suite, retinue
Das Gefolge nennt man die Leute, die einem folgen oder einen begleiten.

das **Gefühl**, –s, –e (fühlen) feeling
Er hat kein Gefühl = Er ist ein gefühlloser Mensch.

****gegen** (*acc.*) = wider against, toward; approximately; gegen drei Uhr around three o'clock
Wer nicht für mich ist, ist gegen mich.

die **Gegend**, –en neighborhood; region, country; quarter
In unserer Gegend wohnen viele Ausländer (foreigners).
Aus welcher Gegend kommt er?

der **Gegensatz**, –es, ⸗e contrast; opposite; antithesis
Armut und Reichtum sind Gegensätze.

gegenseitig mutual, reciprocal [die Gegenseitigkeit reciprocity]
Wir sollten uns gegenseitig unterstützen, nicht bekämpfen (attack).

***der Gegenstand**, –s, ⸚e object; topic; matter; subject (of discussion)
Wir haben den Gegenstand gründlich besprochen.

das **Gegenteil**, –s, –e = der Gegensatz contrary, opposite, reverse; im Gegenteil on the contrary
Groß ist das Gegenteil von klein.

***gegenüber** (*dat.*) opposite, face to face
Er saß mir gegenüber.

*die **Gegenwart** presence; present time; present tense [gegenwärtig present, momentary; actual; at present]
Ich möchte es nicht in seiner Gegenwart sagen.
Für die Lebenden ist die Gegenwart wichtiger als die Vergangenheit (past).

der **Gegner**, –s, — (gegen) opponent, adversary
Wer ist dein Gegner in dieser Sache?

der **Gehalt**, –s (halten) content(s); das Gehalt, –es, ⸚er = der Lohn

***geheim** = heimlich (Heim) (*cog.* home) secret, clandestine
Wir hatten eine geheime Unterredung darüber (about it).

das **Geheimnis**, –(ss)es, –(ss)e (Heim) secret [geheimnisvoll mysterious]; ein Geheimnis ausplaudern (give away)
Er macht kein Geheimnis daraus.

****gehen**, ging, ist gegangen go, walk, run; work
So geht's. That's the way it goes.
Wie geht's Ihnen? How are you?
Es geht mir schlecht. Things are going badly with me.
Er geht spazieren. He is going for a walk, is taking a walk.
Es geht um Tod und Leben. It is a matter of life and death.
Das geht (an). That will answer, is proper. It works.

der **Gehilfe**, –n, –n (helfen) assistant

das **Gehirn**, –s, –e = das Hirn brain

das **Gehölz**, –es (Holz) wood, underbrush
Ich traf den Jäger im Gehölz.

das **Gehör**, –s (hören) hearing
Das Gehör der achtzigjährigen Frau war noch ausgezeichnet.

gehorchen (*dat.*) = folgen obey [der Gehorsam obedience; gehorsam obedient]
Der Diener gehorcht dem Herrn.

****gehören** (*dat.*) belong
Das gehört sich so. That is proper, is as it should be.
Es gehört Geld und Zeit dazu. That takes money and time.

gehorsam *see* gehorchen

die **Geige**, –n = die Violine violin, fiddle [geigen = auf der Geige spielen; der Geigenspieler = der Violinist]
Der Himmel hängt ihm voller Geigen. He sees everything from the rosy side, has high hopes.

***der Geist**, –es, –er ghost, spirit; mind, intellect, wit [geistig mental, intellectual; alcoholic; geistlich spiritual, religious, clerical, sacred; geistreich ingenious, witty]; ein Mann von Geist (intellect) und Witz; den Geist aufgeben = sterben
Er glaubte, einen Geist gesehen zu haben.

der Geiz, –es stinginess, avarice [geizen be stingy; der Geizhals = der Geizkragen miser; geizig stingy, avaricious]

das Gelächter, –s (lachen) laughter; sich zum Gelächter machen make oneself a laughingstock
Er brach in ein schallendes Gelächter aus. He burst out into a peal of laughter.

gelangen (s.) = erreichen come to *or* into, arrive, arrive at, get to; in andere Hände gelangen change hands; zum Ziele gelangen attain one's aim; an den Ort gelangen arrive at the place

****gelb** yellow

****das Geld**, –es, –er money

die Gelegenheit, –en (liegen) opportunity, chance, occasion [gelegentlich occasional]; bei dieser Gelegenheit on this occasion, at this opportunity
Die Gelegenheit, ihn zu besuchen, war günstig.

der Gelehrte, –n, –n (lehren) scholar, learned man

der Geliebte, –n, –n (lieben) lover, sweetheart; die Geliebte (*fem.*)

***gelingen**, gelang, ist gelungen (*dat.*) succeed, be successful; G. mißlingen be unsuccessful, fail
Es gelingt ihm alles. He succeeds in everything.

***gelten**, gilt, galt, gegolten (*cog.* yield) be worth, be of value; have credit, have influence; be highly thought of; be accepted [die Geltung value, validity]
Sein Wort gilt bei uns sehr wenig.
Gilt das ihm? Is that meant for him?
Er gilt für reich. He is supposed to be rich.
Er läßt es gelten. He lets it pass.
Das gilt. That's a go.
Er macht sich geltend. He makes himself felt.

das Gemach, –(e)s, ⁼er = ein großes Zimmer room, apartment

der Gemahl, –s, –e = der Gatte husband, consort, spouse [die Gemahlin = die Gattin wife, spouse]

das Gemälde, –s, — (malen) painting (in oil *or* water color)

gemäß (*dat. or gen.*) (messen) according to
Gemäß der Verordnung des Arztes sollte der Kranke das Bett hüten (stay abed).

***gemein** common, mean; general; low, vulgar [die Gemeinde community, municipality; parish, congregation; die Gemeinheit meanness, mean act; vulgarity; gemeinsam common, joint; die

Gemeinschaft community; organization; gemeinschaftlich common, joint]; eine gemeine Tat a mean (= brutal, disgraceful) act *or* deed
Der Tod ist allen Menschen gemein.

*das **Gemüse, -s, —,** vegetable, greens

gemütlich (Mut) comfortable, cozy, snug; quiet [das Gemüt feeling; soul; die Gemütlichkeit comfort, coziness; kind disposition; good nature]; eine gemütliche Ecke a cozy corner; gemütliche Menschen good-natured folk
Nur immer gemütlich! Don't lose your temper!

****genau** exact, accurate, precise, minute [die Genauigkeit exactness, accuracy, precision]
Er verlangte einen genauen Bericht darüber.
Er nimmt es sehr genau. He is very particular.

***genießen,** genoß, genossen enjoy; relish; take food and drink [genießbar eatable and drinkable]; eine gute Erziehung genießen receive a good education.
Wir haben die schöne Musik sehr genossen.
Das Essen war gar nicht zu genießen (was not fit to eat).

****genug** = genügend enough, sufficient

***genügen** = genug sein be enough, suffice [genügend sufficient; genügsam sober, frugal, temperate; die Genugtuung satisfaction]; zur Genüge sufficiently
Dein Wort genügt mir.

der **Genuß, -(ss)es, ⸗(ss)e** (genießen) enjoyment, pleasure

das **Gepäck, -s, -e** (packen) (*cog.* pack) baggage, luggage
Der Gepäckträger (porter) trägt unsere Gepäckstücke (articles, pieces of luggage) in den Eisenbahnwagen.

****gerade** straight, direct; just then [geradeaus straight ahead; geradezu downright, positively]; gerade um so mehr so much the more
Gerade ist das Gegenteil von krumm.
Gehen Sie nur gerade aus. Just go straight ahead.
Das ist ja gerade, was ich will. That's just what I want.

das **Gerät, -s, -e** tool, implement
Der Pflug ist für den Landmann ein wichtiges Gerät.

geraten, gerät, geriet, ist geraten get into; fall into; turn out; prosper, succeed; in Angst geraten be seized with fear; in Schweiß geraten break out into perspiration; in Brand geraten catch fire; sich in die Haare geraten come to blows
Er ist in gute Hände geraten. He fell into good hands.
Der Kuchen ist nicht gut geraten (did not turn out well).
Es gerät ihm alles. He succeeds in everything.
Er geriet auf den Einfall = Es fiel ihm ein. It occurred to him.

geräumig (Raum) spacious, roomy

das **Geräusch, -es, -e** = der Lärm (rauschen) noise; rustling
Die Straßenbahn (street car) macht ein furchtbares Geräusch.

gerecht (Recht) just [die Gerechtigkeit justice]

das **Gericht,** –s, –e (richten) (*cog.* right) court; dish [gerichtlich judiciary, legal]; eine Sache vor Gericht bringen go to court *or* law about a thing; gerichtlich verfolgen prosecute
Der Koch bereitet in der Küche Fischgerichte, Fleischgerichte, Gemüsegerichte usw.

***gering** = klein small; insignificant; slight, inferior
Dieser Gegenstand hat einen geringen Wert.

****gern**(e), lieber, am liebsten willingly, with pleasure, gladly
Er tut es gerne (= mit Vergnügen).
Er hat es gern. He likes it.
Essen Sie gerne Fleisch? Do you like meat?
Am liebsten esse ich Hühnerbraten. I like roast chicken best.

der **Geruch,** –s, ⸚e (riechen) smell, odor, fragrance

das **Gerücht,** –s, –e rumor, report; ein Gerücht verbreiten spread a rumor

gesamt (sammeln) = sämtlich, ganz whole, total; die gesamte Einwohnerschaft des Dorfes, der Stadt usw.

der **Gesandte,** –n, –n (senden) envoy, ambassador [die Gesandtschaft legation]

der **Gesang,** –s, ⸚e (singen) song, singing
Der Gesang der Vögel erfreut alle Herzen.

*das **Geschäft,** –s, –e (schaffen) business; affair; occupation; shop; store; glänzende Geschäfte machen do a rattling good business

****geschehen,** geschieht, geschah, ist geschehen = passieren, statt-finden happen, come to pass, take place
Wann ist das geschehen?
Da war's um ihn geschehen. Then he was done for.
Was soll geschehen? What is to be done?
Gern geschehen! Don't mention it!
Dir wird nichts geschehen. No harm will come to you.

das **Geschenk,** –s, –e (schenken) present, gift

die **Geschichte, –n (geschehen) story, history; state of affairs [geschichtlich historical]
Erzählen Sie mir die Geschichte noch einmal.
Das ist eine schlimme Geschichte. That's a bad business (*or* situation).
Das wäre ein schöne Geschichte! That would be a fine kettle of fish!

das **Geschlecht,** –s, –er sex; gender; species; race, family; generation; das männliche oder weibliche Geschlecht male *or* female sex (*in grammar* = masculine *or* feminine gender)
Er entstammt einem vornehmen Geschlecht. He comes from a distinguished family.

der **Geschmack,** –s, ⸚e oder ⸚er (schmecken) taste [geschmacklos in poor taste, tasteless; geschmackvoll in good taste, tasty]
Jeder nach seinem Geschmack. Everyone according to his taste.

das **Geschöpf,** –es, –e (Schöpfung *and* schaffen) creature, creation; ein armes, jämmerliches Geschöpf a poor, miserable creature

das **Geschrei,** –s (schreien) cry, scream, shout; crowing

das **Geschwätz,** –es (schwätzen) gossip

geschwind (schwinden) = schnell rapid, speedy [die Geschwindigkeit = die Schnelligkeit speed, rapidity, velocity]
Mach geschwind! Be quick! Make haste!

die **Geschwister** (Schwester) = Brüder und Schwestern (*pl. only*) brothers and sisters

der **Gesell(e),** –en, –en fellow; helper; journeyman
Der Meister hatte einen tüchtigen Gesellen.
Er ist ein gefährlicher Geselle (= ein gefährlicher Mensch).

*die **Gesellschaft,** –en company; society, party [sich gesellen join; gesellig sociable; gesellschaftlich social]
Er fühlt sich unfrei in großer Gesellschaft.
Du kannst mir Gesellschaft leisten (keep me company).

das **Gesetz,** –es, –e (setzen) (*cog.* set) law [das Gesetzbuch statute book, code; gesetzlich legal, lawful]; nach dem Gesetz according to law

das **Gesicht, –s, –er (sehen) = das Angesicht (*cog.* sight) face, countenance; sight [der Gesichtspunkt viewpoint]; Gesichter schneiden make faces *or* grimaces
Er bekommt (kriegt) es zu Gesichte. He catches sight of it.

die **Gesinnung,** –en (Sinn) sentiment, conviction; mind; view, opinion; seine Gesinnung ändern change one's mind *or* attitude
Ich bewundere seine ehrliche Gesinnung.

gespannt (spannen) strained; excited; anxious, curious
Ich bin auf seine Antwort gespannt.
Wir leben miteinander auf gespanntem Fuße. The relations between us are strained.

das **Gespenst,** –s, –er = der Geist ghost, specter
Es gibt viele Leute, die auch heute noch an Gespenster glauben.

das **Gespräch,** –s, –e (sprechen) = die Konversation conversation
Ich hatte ein interessantes Gespräch mit ihm.

*die **Gestalt,** –en (stellen) shape, form; stature [gestalten form, shape; sich gestalten turn out; die Gestaltung formation]
Das Mädchen war schön von Gestalt.

das **Geständnis,** –(ss)es, –(ss)e (gestehen) confession

***gestatten** = erlauben allow, permit
Gestatten Sie mir bitte eine Frage.

gestehen, gestand, gestanden = zugeben admit, confess, avow
Ich muß gestehen, daß du recht hast.

****gestern** = am Tage vorher yesterday [gestrig yesterday's, of yesterday]; gestern vor acht Tagen a week ago yesterday; gestern abend last night

****gesund** (*) (*cog.* sound) healthy, well, wholesome; sound, sane; G. ungesund sick, unwholesome [die Gesundheit health]
Er ist frisch und gesund (hail and hearty).
Das ist ihm ganz gesund! Serves him right!

das **Getränk, –s, –e** (trinken) drink, beverage
Getränke sind Bier, Wein, Limonade usw.

sich **getrauen** trust; care; risk
Er getraute sich nicht, die Arbeit zu übernehmen.

das **Getreide, –s** (tragen) = das Korn grain, crops
Mit Getreide meinen wir Roggen, Weizen, Hafer (oats) usw.

getreu (treu) loyal
Er stand ihm getreu zur Seite.

das **Gewächs, –es, –e** (wachsen) = die Pflanze plant

gewahr aware [gewahren become aware of, notice; realize]
Zu spät wurde er ihn gewahr (noticed him).

gewähren = zusagen, erfüllen grant, afford
Er hat mir meine Bitte gewährt.

*die **Gewalt, –en** (walten) (*cog.* wield) force, power, violence; authority, control [gewaltig mighty, powerful; gewaltsam violent, forcible]; die bürgerlichen Gewalten civil authorities
Mit Gewalt kann man nur selten das Ziel erreichen.
Er will mit aller Gewalt reisen. He is bent upon traveling.

das **Gewand, –es, ⸚er** (winden) gown, garment, vestment

gewandt clever, skillful, adroit, dexterous [die Gewandtheit cleverness, skill, adroitness, dexterity]
Er ist in solchen Sachen sehr gewandt.

das **Gewehr, –s, –e** (wehren) gun, rifle [das Maschinengewehr machine gun]

das **Gewerbe, –s, —** (werben) trade, business; profession; industry; ein Gewerbe treiben follow *or* pursue a trade; Handels- und Gewerbeschulen commercial and technical schools

das **Gewicht, –s, –e** (wiegen) weight; importance [gewichtig weighty]; schwer ins Gewicht fallen weigh heavily
Wenn ich etwas kaufe, will ich volles Gewicht haben.
Ich lege kein Gewicht darauf. I attach no importance to it.

***gewinnen,** gewann, gewonnen gain, win; G. verlieren lose [der Gewinn gain, profit; prize]; etwas oder jemanden lieb gewinnen become fond of something *or* somebody; an Kraft gewinnen gain in strength
Was kannst du dabei gewinnen (gain by it)?

**gewiß (wissen) (*cog.* wit) = bestimmt certain, sure [die Gewißheit certainty, surety]
Morgen kommt er ganz gewiß nach Hause.

das **Gewissen,** –s conscience [gewissenhaft conscientious, scrupulous; die Gewissenhaftigkeit conscientiousness; gewissenlos unscrupulous]
Ein gutes Gewissen ist ein sanftes Ruhekissen (Sprichwort). With a clear conscience one sleeps well.
Er macht sich kein Gewissen daraus zu lügen. He has no scruples about telling lies.

das **Gewitter,** –s (Wetter) thunderstorm
Ein Gewitter ist im Anzug. A thunderstorm is gathering.

gewöhnen accustom; sich gewöhnen become accustomed *or* used to (something *or* somebody); gewohnt an (*acc.*) accustomed to
Er hat sich endlich daran gewöhnt. He finally got used to it.

die **Gewohnheit,** –en (gewöhnen) habit; zur Gewohnheit werden grow into a habit

***gewöhnlich** (gewöhnen) = regelmäßig usual, ordinary, customary; common, vulgar
Ich stehe gewöhnlich um halb sieben auf.

***gießen,** goß, gegossen pour; cast, found; water [vergießen spill]; Tränen vergießen shed tears
Der Regen goß in Strömen.
Gießen Sie mir noch eine Tasse Tee ein.

das **Gift,** –es, –e poison, venom; malice [giftig poisonous, malicious; vergiften poison]

*der **Gipfel,** –s, —, summit, top; height, culmination [der Gipfelpunkt highest point]
Er stand auf dem Gipfel seiner Macht.

***glänzen** glitter, shine, sparkle [der Glanz brightness, luster; splendor; glänzend brilliant, bright; splendid]
Es ist nicht alles Gold, was glänzt (Sprichwort).
Es geht uns allen glänzend. We are all getting along famously.

das **Glas, –es, ⸗er glass [gläsern of glass, glassy]; zwei Glas Wein two glasses of wine; zu tief ins Glas gucken = zu viel trinken

***glatt** (*cog.* glad) slippery; smooth; even, slick [die Glätte smoothness]
Im Winter ist es auf der Straße oft sehr glatt.
Alles ist glatt abgegangen (= abgelaufen). Everything went off smoothly.

der **Glaube(n),** –ns belief, faith, creed [der Aberglaube superstition; gläubig believing, religious; die Gläubiger creditors; glaublich credible]; einer Sache Glauben schenken give credence to a thing
Der Glaube an Gott ist so alt wie die Menschheit (humanity, mankind).

****glauben** = trauen, Vertrauen haben believe; think, suppose
Er glaubt mir jedes Wort. He believes every word of mine.

****gleich** (*adv.*) = sogleich, sofort, auf der Stelle at once, immediately, in

a minute, right away, instantly, directly; gleich von Anfang an from the very start
Ich bin fertig; wir können gleich nach Hause gehen.
Wie heißt er doch gleich? What ever is his name? (*i.e.* I cannot remember it)

***gleich** (*adj.*) (*cog.* like) the same; equal, like, similar [die Gleichheit equality, likeness, similarity]
Das ist mir ganz gleich. It's all the same to me.
Die zwei Bücher sind gleich teuer (equally dear).
Es ist gleich viel (immaterial), wer kommt.

gleichen, glich, geglichen (gleich) = ähnlich sein be alike, equal, resemble
Er gleicht in allen Dingen seinem Vater.

gleichfalls = ebenfalls, auch likewise
Ich wünsche Ihnen viel Glück! Gleichfalls. The same to you.

gleichgültig indifferent [die Gleichgültigkeit indifference]
Sein Vorschlag war mir ganz gleichgültig.

gleichzeitig simultaneous [die Gleichzeitigkeit simultaneousness]
Die zwei Wettläufer (prize runners) kamen gleichzeitig am Ziele an.

gleiten, glitt, ist geglitten glide, slide [aus=gleiten slip]
Der Schlittschuhläufer (= Eisläufer) glitt mit großer Geschwindigkeit über das glatte Eis.

*das **Glied,** –es, –er member (of body), limb; link; in Reih und Glied in rank and file
Das geht mir durch alle Glieder. I feel it in every limb.

die **Glocke,** –n (*cog.* clock) bell; an die große Glocke hängen make great noise, give wide publicity
Sonntags läuten die Kirchenglocken.

das **Glück, –es luck, good fortune [glücken succeed, be successful]; zum Glück fortunately
Glückauf! I wish you luck!
Er handelt (wagt es) auf gut Glück. He takes a chance, risks it.

glücklich (Glück) lucky, happy, fortunate
Glücklich ist, wer vergißt, was nicht mehr zu ändern ist.

der **Glückwunsch,** –es, ⸚e (wünschen) congratulation

glühen glow, be red-hot, burn; glühende Kohlen, glühende Sonne usw.

die **Glut** (glühen) heat, glowing fire, embers; ardor

die **Gnade** grace, mercy [gnädig merciful, gracious]; Gnade für Recht ergehen lassen show mercy (*instead of just punishment*); vor ihren Augen Gnade finden find favor in her eyes
Gott sei uns gnädig! May God have mercy upon us!

*das **Gold,** –es gold [golden golden]

gönnen not begrudge, not envy; [der Gönner patron; vergönnen grant]
Ich gönne es ihm. I do not begrudge it to him.

Er gönnt sich das liebe Brot nicht. He grudges himself the very bread he eats.
Er gönnt sich keine Ruhe. He allows himself no rest.
Es war mir vergönnt . . . I was privileged . . .

der **Gott, –es, ⁻er God [die Gottheit deity, divinity; die Göttin goddess; göttlich godly, divine]; um Gottes willen for goodness' sake
Gott sei Dank! Thank God! Thank goodness!
Du lieber Gott! Good gracious!
Gottlob! God be praised!

***graben**, gräbt, grub, gegraben (*cog.* grave) dig [das Grab grave; der Graben ditch; trench]; einen Brunnen, ein Grab, ein Loch usw. graben

der **Grad**, –es, –e grade; degree; point; bis zu einem bestimmten Grade up to a certain point
Im Sommer erreicht bei uns die Temperatur bisweilen hundert Grad.

*der **Graf**, –en, –en count; earl [die Gräfin countess]

*der **Gram**, –es = der Kummer, das Herzeleid grief, sorrow [sich grämen grieve; grämlich peevish, ill-humored]
Er starb vor Gram über den Tod seines Sohnes.

*das **Gras**, –es, ⁻er grass; herb [grasen graze]; ins Gras beißen to die
Es ist viel Gras darüber gewachsen. It has been long forgotten = It is a thing of the past.

***grau** gray; graues Altertum remote antiquity; sich keine grauen Haare darüber wachsen lassen not to worry about it

grauen, grausen (*dat.*) (*impers.*); dawn (*pers.*)
Mir graut oder graust davor. I shudder at it *or* I have a horror of it.
Der Tag graut. Day dawns.

grausam (*cog.* gruesome) cruel [die Grausamkeit cruelty]
Die Sklaven wurden oft grausam behandelt.

***greifen**, griff, gegriffen (*cog.* gripe, grip) seize, take hold of, grab [greifbar seizable, palpable; clear]; einen Ton oder eine Seite (auf einem Instrumente) greifen strike a note, touch a chord
Er griff nach seinem Hut(e) und verließ das Haus.

der **Greis**, –es, –e old man, graybeard [die Greisin old woman; das Greisenalter old age]

*die **Grenze**, –n boundary, limit, border, frontier [grenzen border; grenzenlos boundless]
Seine Dummheit hat keine Grenzen, sie ist grenzenlos.

der **Griff**, –es, –e (greifen) grip, grasp, hold; handle, hilt [der Angriff attack]; ein glücklicher Griff a lucky hit; etwas im Griffe haben have a knack of *or* at something; einen falschen Griff tun make a mistake (strike a false note)
Er hat einen festen Griff.
Er hatte seine Hand am Türgriff (door knob).

der **Grimm**, –es (*cog.* grim) fury, rage [grimm, grimmig furious]
Warum läßt du deinen Grimm an mir aus? Why do you vent your rage on me?
Es ist grimmig kalt. It is bitterly cold.

grob (¨) coarse, rude, rough; G. zart fine, tender [die Grobheit rudeness]; ein grobes Tuch coarse cloth; grobe Arbeit drudgery
Wir sind aus dem Gröbsten heraus. We are over the worst.
Auf einen groben Klotz gehört ein grober Keil. For a thick block a thick wedge (rudeness should be met with rudeness).

****groß** (¨) big, large; tall; grand; G. klein small, short; sich mit etwas großtun to boast about something; großer Buchstabe capital letter
Er sieht (schaut) ihn groß an. He stares at him inquiringly, in astonishment, wide-eyed.

großartig magnificent, grand, sublime [die Großartigkeit grandeur]
Das großartige Fest muß der Stadt ein schönes Stück Geld (= viel Geld) gekostet haben.

die **Größe**, –en (groß) size; magnitude; greatness; ein Stern erster Größe a star of first magnitude
Welche Schuhgröße tragen Sie?
Er ist ungefähr von meiner Größe (about my size).

die **Großeltern** (*pl. only*) (*cog.* great elders) grandparents

*die **Großmutter**, ¨, grandmother

der **Großvater**, –s, ¨, grandfather

die **Grube**, –n (graben) (*cog.* groove) pit, mine, ditch [eine Kohlengrube, Goldgrube usw.]; in die Grube fahren die
Wer andern eine Grube gräbt, fällt selbst hinein (Sprichwort). He who sets a trap for others, gets himself caught.

****grün** green [grünen grow *or* be green; das Grün green, verdure]; bei Muttergrün (= im Freien) schlafen sleep in the open air
Er kommt auf keinen grünen Zweig. He does not prosper.

***der Grund**, –es, ¨e reason, cause; ground, bottom; soil; estate [der Abgrund precipice; der Gründer founder]; bis auf den Grund to the very bottom; von Grund aus thoroughly; Grund zur Sorge reason for worrying; aus diesem (irgend einem) Grunde for this (any) reason
Im Grunde genommen, ist mir das gleich. In reality (*or* after all) it is all the same to me.
Er richtet ihn zugrunde. He ruins him.
Er geht zugrunde. He is being ruined.

gründen (Grund) = den Grund legen found [die Gründung foundation]
In welchem Jahre wurde die Stadt gegründet?

gründlich (Grund) thorough; fundamental [die Gründlichkeit thoroughness]
Wir haben die Sache gründlich besprochen.

der **Grundsatz**, –es, ⸚e principle [grundsätzlich on principle]
Sein Lebensgrundsatz war: Bete und arbeite!

das **Grundstück**, –s, –e building plot, lot (of real estate)

die **Gruppe**, –n group [gruppieren group]

****grüßen** = begrüßen greet, salute [der Gruß greeting, salute]; Grüße bestellen convey greetings
Er hat uns sehr freundlich gegrüßt.
Er läßt grüßen = Er schickt Grüße. He is sending his greetings *or* regards.
Grüß Gott! How do you do?

gültig (gelten) valid, legal, current [die Gültigkeit validity, legality]
Diese Fahrkarte ist nicht mehr gültig, sie ist verfallen (expired).

das **Gummi**, –s, –s (*Lat.*, *Gr.*) gum, rubber [Gummischuhe rubbers]
Die Reifen (tires) aller Automobile sind aus Gummi.

*die **Gunst** (gönnen) good will; favor; grace [günstig favorable; der Günstling favorite]; zu meinen (deinen, seinen usw.) Gunsten in my (your, his, etc.) favor
Ich möchte mir seine Gunst erhalten (retain his good will).
Er steht in seiner Gunst. He is in his good graces.

der **Gürtel**, –s, —, girdle, belt; sash, waistband [der Gurt girt, girth]

****gut**, besser, best good; well; G. schlecht bad, ill [die Güte kindness, goodness; quality]
Es geht uns sehr gut. We are faring very well.
Sie ist mir gut. She likes (loves) me.
Er hat gut bitten, weinen, reden usw. He asks, weeps, talks, etc., in vain.
Laß gut sein! Never mind!
Es ist schon gut. Very well. All right.
Das kommt ihm zugute. That is to his advantage, in his favor.
Er tut sich etwas zugute. He indulges himself.
Er tut sich etwas zugute darauf. He piques, prides himself upon that.

*das **Gut**, –es, ⸚er (*cog.* good, goods) estate; possession; merchandise, goods; property; farm [das Landgut country estate]
Er verbringt den Sommer auf seinem Gut.
Ich habe mein ganzes Hab und Gut (what I have and what I possess) verloren.

gütig (gut) [die Gütigkeit = Güte kindness]
Die gütige Mutter meines Freundes empfing uns aufs beste (in the best manner = most cordially).

gutmütig good-natured, kind [die Gutmütigkeit kindness]
Man konnte ihm nicht böse sein, er war ein so gutmütiger Kerl.

das **Gymnasium**, –s, –sien (*Gr.*) secondary school

H

**das Haar, -es, -e hair [haarig hairy]; bis aufs Haar = auf ein Haar (to a hair) exactly, perfectly

**haben, hatte, gehabt have, possess [die Habe possessions, property; ein Habenichts penniless person]; Hab und Gut all one's belongings
Was hat er? What is the matter with him?
Er hat recht. He is right.
Er hat es gut, schlecht usw. He is well off, badly off, etc.
Er hat es vor. He intends to do it.
Er hat gut reden. It is easy for him to talk.
Das hat nichts auf sich. That does not matter.
Es hat viel für sich. Much can be said in its favor.
Es hat keine Eile. There is no hurry.

die Habsucht avarice, greed; G. die Freigebigkeit unselfishness, generosity [habsüchtig greedy]

*der Hafen, -s, ⸚, haven, harbor, port

der Hafer, -s oats

der Hagel, -s hail [hageln hail]

*der Hahn, -es, ⸚e cock, rooster; faucet [der Hahn, die Henne, das Huhn]

der Haken, -s, —, hook, clasp
Die Sache hat einen Haken. There is a hitch (difficulty) in the business.

**halb half; mit halber Stimme in a low voice
Ein halber Apfel ist besser als gar keiner.

die Halbinsel, -n peninsula

der Halbkreis, -es, -e semicircle

die Hälfte, -n (halb) half

die Halle, -n hall; market hall [die Vorhalle vestibule]

**der Hals, -es, ⸚e throat, neck [das Halstuch scarf, kerchief]; jemandem um den Hals fallen fall on someone's neck, embrace someone
Er hat Halsweh. He has a sore throat.
Es geht ihm an den Hals. He is in trouble, in for it.

der Halt, -es (halten) hold, support [haltbar durable, tenable]

**halten, hält, hielt, gehalten keep; hold, support; contain [fest-halten hold fast, stick to]
Er hat sein Wort nicht gehalten.
Er hält eine Rede. He makes a speech.
Er hält (sich) den Mann für reich. He considers (himself) the man rich.
Was halten Sie von ihm (davon)? What do you think of him (of it)?

Er hält an sich. He checks *or* restrains himself.
Er hält sehr auf ihn (auf sich). He has great regard for him (himself).

die **Haltung** (halten) carriage *or* bearing (in walking *or* standing); attitude

die **Hand, ⸗e hand; die letzte Hand anlegen put a finishing touch on; zu rechter (linker) Hand to the right (left); zur Hand at hand, on hand; jemandem die Hand geben shake hands; die Hände in den Schoß legen be idle; auf eigene Hand of one's own accord, at one's own risk; vor der Hand for the present; unter der Hand privately
Die Sache hat Hand und Fuß. The thing is to the purpose, is solid.
Er geht ihm an die Hand. He lends him a hand.
Er klatscht (klopft) in die Hände. He claps his hands.
Es liegt auf der Hand. It is clear.

der **Handel,** –s (handeln) commerce, trade, business transaction; Handel treiben trade, transact business

handeln (*cog.* handle) act; trade; bargain [der Händler dealer, trader; die Handlung action; act; deed; shop, store]
Du hast in der Sache richtig gehandelt.
Es handelt sich um Leben und Tod. It is a matter (a question) of life and death.

das **Handgepäck,** –s, –e (packen) small baggage, luggage

handhaben handle, manage [die Handhabung handling, management]

der **Handkoffer,** –s, —, suitcase, grip

die **Handschrift,** –en handwriting

der **Handschuh,** –s, –e glove

das **Handtuch,** –(e)s, ⸗er towel

das **Handwerk,** –s, –e trade, handicraft [der Handwerker artisan]
Seinem Handwerk nach (by trade) ist er ein Schneider.
Ich werde ihm schon das Handwerk legen. I'll fix him (put a spoke in his wheel).

***hangen,** hängt, hing, gehangen hang, be suspended; alles was drum und dran hängt everything connected with it

hängen hang up, hang; sein Herz an etwas hängen become attached to a thing
Der Mörder wurde gehängt.

harren = warten wait for, hope for
Die Mutter harrte auf ihren Sohn.

****hart** (⸗) hard; harsh; G. weich soft [die Härte hardness; severity; hartnäckig obstinate]

der **Hase,** –n, –n hare
Viele Hunde sind des Hasen Tod (Sprichwort). There is no use fighting against odds.

***hassen** hate; G. lieben love [der Haß hatred; häßlich ugly; hateful]

hastig = schnell hasty [die Hast haste; die Hastigkeit hastiness]
Er lief hastig zur Apotheke, um die Arznei (medicine) zu holen.

der **Hauch**, –es breath; breeze [hauchen breathe, exhale]
Der kühle Lufthauch tat mir wohl.

hauen, hieb, gehauen = schlagen hew, chop, cut; flog, thrash; einen übers Ohr hauen cheat a person; über die Schnur hauen overshoot the mark; Steine hauen break stones
Nicht hauen! Do not hit *or* beat!

*der **Haufe(n)**, –ns, –n heap, pile, lot; crowd, number [häufen pile up, accumulate]; alles über den Haufen werfen knock everything over *or* down
Er hat einen Haufen Bücher, aber keine Bildung.

häufig (Haufe) = oft frequent; G. selten seldom, rare
So etwas kommt sehr häufig vor. Things of that sort occur very frequently.

*das **Haupt**, –es, ⸗er head; main, chief [der Häuptling chief, chieftain; der Hauptsatz main clause; das Hauptwort noun *or* the most important word]; den Feind aufs Haupt schlagen defeat the enemy; das Haupt entblößen uncover *or* bare one's head; uns zu Häupten over *or* at our heads

der **Hauptmann**, –s, die Hauptleute chief, captain
Der Hauptmann befiehlt, die Soldaten gehorchen.

die **Hauptsache**, –n main thing [hauptsächlich chiefly, mainly]

die **Hauptstadt**, ⸗e capital city

das **Haus, –es, ⸗er house [hausen keep house; dwell; ravage; das Hausgerät furniture = der Haushalt household; die Haushaltung housekeeping, household management; häuslich domestic; economical]; von Hause aus originally, by birth
Er geht nach Hause (home, homeward).
Er ist zu Hause (at home).
Wo bist du zu Haus? Where do you live? Where do you come from?
Der Sturm hat schlimm gehaust (wrought havoc, did much damage).

die **Hausfrau**, –en housewife

*die **Haut**, ⸗e hide, skin; sich seiner Haut wehren defend one's own life; auf der faulen Haut liegen be idle; eine gute, ehrliche Haut a good, honest soul; mit Haut und Haar verschlingen devour neck and crop; seine Haut zu Markte tragen expose oneself to danger
Er hat eine dicke Haut. He is pretty dense, stubborn.

***heben**, hob, gehoben (*cog.* heave) lift; raise; G. senken sink, lower; einen bis zum Himmel heben extol, praise excessively; ein Kind aus der Taufe heben stand godfather (godmother) to a child; in gehobener Stimmung sein be in high spirits

Der Schüler hob die Hand; er wußte die Antwort.
Er ist gut aufgehoben. He is safe, in good hands.

*das **Heer**, –es, –e = die Armee army

das **Heft, –es, –e (*Lat. captus* bound, tied) notebook, copybook, pamphlet; handle, hilt [heften fasten, tack; stitch]; das Heft in der Hand haben hold power
Schreiben Sie diese Aufgabe ins Heft.

heftig = wütend, kräftig, eifrig vehement, violent, passionate [die Heftigkeit vehemence, violence]; heftig aneinander geraten come to blows *or* close quarters; heftig werden fly into a passion; heftig weinen cry bitterly

hegen cherish, foster; entertain (a hope *or* wish); den Wunsch, die Hoffnung, hegen cherish *or* entertain the wish, the hope; einen Zweifel hegen be in doubt

*der **Heide**, –n, –n heathen, pagan [heidnisch heathen, heathenish]
Heiden sind Menschen oder Völker, die nicht an den biblischen Gott glauben.

die **Heide**, –n heath
Die Lüneburger Heide liegt im Norden von Deutschland.

*das **Heil**, –es (*cog.* hail, whole) welfare, salvation, happiness [heil unhurt; der Heiland Savior; heilen heal, cure; heilsam wholesome, solitary; die Heilung cure, healing]; im Jahre des Heils in the year of our Lord; gut Heil! good luck!
Zu unserem Heil (= Glück) traf der Schuß den Tiger und tötete ihn.

***heilig** (Heil) holy, sacred [heiligen hallow, sanctify; das Heiligtum sanctuary, relic]; der heilige Joseph Saint Joseph
Die Kirche ist ein heiliger Ort.

das **Heim, –es, –e dwelling, abode; home, homestead [heimisch native, homelike, domestic; das Heimweh homesickness]
Besuchen Sie uns in unserem neuen Heim.
Er macht (fühlt) sich heimisch. He makes himself (feels) at home.

die **Heimat** (Heim) native place *or* country; birthplace
Die Heimat ist der schönste Ort auf Gottes Erde.

heimlich (Heim) = geheim secret, clandestine [die Heimlichkeit secrecy]
Ich erfüllte seinen heimlichen Wunsch.
Er tat so heimlich, als ob . . . He put on a mysterious air as if . . .

die **Heirat**, –en (heiraten) marriage [der Heiratsantrag proposal of marriage]
Er hat dem Mädchen die Heirat versprochen.

***heiraten** = sich verheiraten (mit) marry, wed
Er hat die Tochter des Bürgermeisters geheiratet = Er hat sich mit ihr verheiratet.

***heiß** hot

****heißen,** hieß, geheißen be called, be named; bid, command; das heißt that is to say, it means; es heißt, daß . . . it is said (written, reported) that . . . ; damit es nicht heiße lest it be said
Wie heißen Sie? What is your name?
Ich heiße Karl. My name is Karl.
Was heißt das? Was soll (will) das heißen? What does that mean?
Er hieß mich (bade me) gehen.

heiter serene, cheerful [die Heiterkeit serenity, mirth; cheerfulness; laughter, merriment]; ein Blitz aus heiterem Himmel a bolt from the blue
Er war in heiterer Stimmung (in a cheerful mood).
Das Wetter wird heiter. The weather (*or* sky) is clearing.

die **Heizung** heating; heating system, firing [heizen, ein=heizen to heat; der Heizer stoker; das Heizapparat radiator]
Die Heizung in unsrer Wohnung ist wieder in Ordnung.

*der **Held,** –en, –en = ein tapferer Mann hero [die Heldin = eine tapfere Frau heroine; heldenhaft heroic; das Heldentum heroism]

****helfen,** hilft, half, geholfen help, aid, assist [der Helfer helper]
Wem nicht zu raten ist, dem ist nicht zu helfen (Sprichwort). He who will not be advised, cannot be helped.

****hell** = klar light, bright, clear, fair; G. dunkel dark; helles (light) Haar; heller (bright) Tag; ein heller Kopf a clear-headed person; helle Stimme clear *or* sonorous voice
Man führte uns in ein helles, freundliches Zimmer.

das **Hemd, –es, –en shirt; einen bis aufs Hemd ausziehen fleece a person, clean out

der **Henker,** –s, —, hangman, executioner [henken hang; execute]; was zum Henker! what the deuce!
Die Pflicht des Henkers ist zu henken (= hängen).

die **Henne,** –n hen

****her** to (*i.e. toward the speaker*); hither; ago; hin und her laufen run to and fro *or* in one direction and in another; von oben (unten, außen, innen) her from above (below, outside, inside); von jeher at all times, from times immemorial
Wo hat er das her? Where did he get that?
Wo ist das her? Where does that come from?
Das ist schon lange her. That's a long time ago.
Her damit! Give it to me! Hand it over!

herab down, downwards (*toward the speaker*); die Treppe herabsteigen; von oben herab ansehen look down upon with contempt; den Strom herab downstream

herab=setzen lower, reduce [die Herabsetzung lowering]; die Waren im Preis herabsetzen

heran=kommen (a, o) (s.) approach
Er ließ ihn nicht herankommen.

heran=ziehen (o, o) (h. u. s.) draw near; consult
Der Feind zog immer näher heran.
Das Kind ist schwer krank; Sie sollten den Arzt heranziehen.

herauf up (*toward the speaker*) [herauf=kommen come up]
Ich bin hier oben; kommen Sie nur herauf.

heraus out (*toward the speaker*) [heraus=kommen come out]

***herbei** here, hither (*toward the speaker*) [herbei=bringen bring on here; herbei=führen lead to me; herbei=holen fetch here, go for; herbei=schaffen convey to this spot, procure, etc.]

*der **Herbst**, –es, –e (*cog.* harvest) autumn, fall

der **Herd**, –es, –e hearth, fireplace
Heutzutage kocht man auf dem Gasherd oder mit Elektrizität.

*die **Herde**, –n herd, flock
Der Hirt(e) bewacht die Herde.

herein in (*toward the speaker*) [herein=kommen, herein=springen, herein=tragen usw.]
Ich bin drinnen; kommen Sie herein.

der **Herr, –n, –en Mr.; lord; master; gentleman [die Herrin mistress; die Herrschaft rule, government; die Herrschaften master and mistress of the house; ladies and gentlemen]
Herr Braun ist Herr in seinem Hause.

****herrlich** (Herr) = glänzend, reizend, wundervoll magnificent, splendid, excellent [die Herrlichkeit splendor]
Wir haben manchmal herrliches Wetter.

herrschen (Herr) rule, dominate, prevail [der Herrscher ruler, sovereign]
Kaiser Karl der Große herrschte über viele Länder.
Eine große Unruhe herrschte unter den Leuten.

her=stellen produce, manufacture; restore [die Herstellung production, manufacture]; Zigarren herstellen (manufacture)
Der Frieden in der Familie ist wieder hergestellt (restored).

herüber over this way
Kommen Sie bitte zu uns herüber.

herum around, about [herum=laufen, herum=stehen usw.; rund herum all around]

herunter down (*toward the speaker*) [herunter=kommen, herunter=springen, herunter=tragen usw.]
Ich bin unten; kommen Sie herunter.

***hervor** forward, out, forth [hervor=bringen, hervor=gehen; hervor=ziehen usw.]
Er ging aus dem Kampf als Sieger hervor (came out victorious).
Er zog einen Brief hervor (drew out *or* produced a letter).

hervor=heben (o, o) emphasize, accentuate [die Hervorhebung emphasis]
Sie müssen seine Verdienste besonders hervorheben!

hervorragend (ragen) = hervorstehend outstanding, projecting, prominent [hervor=ragen project, stand out, be prominent]; ein hervorragender Kopf a brilliant fellow, master mind
Seine hervorragenden Eigenschaften haben einen großen Eindruck auf mich gemacht.

hervor=rufen (ie, u) call forth; produce, cause
Sein hervorragendes Spiel rief große Bewunderung hervor.

hervor=treten (i, a, e) (s.) step forth; stand out
Alles schwieg; da trat aus der Menschenmenge ein kleines Mädchen hervor.

das **Herz, –ens, –en heart [herzig dear, beloved; darling; herzlich hearty, cordial]; von ganzem Herzen heartily; with all one's heart; nach Herzenslust to one's heart's content
Er (es) liegt ihm am Herzen. He has him (it) on his mind.
Er faßt sich ein Herz. He plucks up courage.
Er hängt sein Herz daran (an sie). He sets his heart on it (on her).
Er kann es nicht übers Herz bringen. He cannot bring himself to do it, cannot learn to bear it.
Es ist (wird) ihm eng (froh, bang) ums Herz. He feels oppressed (merry, anxious).

der **Herzog**, –s, ⸗e (das Heer + ziehen) duke, count [die Herzogin duchess, countess; das Herzogtum duchy]

herzu to the place (*toward the speaker*) [herzu=kommen, herzu=laufen usw.]

heulen = laut schreien howl; yell, scream; vor Wut heulen howl with rage
Das Verb „heulen" gebraucht man in Verbindung mit Wind, Sturm, Hunden, Wölfen, Menschen usw.

****heute** today; heute abend, morgen, mittag, vormittag, nachmittag this evening *or* tonight, this morning, noon, forenoon, afternoon; heute in acht Tagen a week from today; heute noch this very day; heute früh early this morning

heutig (heute) today's; bis zum heutigen Tage to this day
Das heutige Leben ist voll von Gefahren.

heutzutage nowadays

die **Hexe**, –n witch, hag [hexen practise witchcraft; die Hexerei witchery]
Es gibt noch Menschen, die an Hexen glauben.

hie = hier

der **Hieb**, –es, –e (hauen) hit, blow, stroke; Hiebe bekommen get thrashed
Auf den ersten Hieb fällt kein Baum. No tree is felled with one stroke, *or* Rome was not built in one day.
Sein scharfes Wort saß wie ein Hieb. His sharp words struck like a blow.

**hier here; G. da, dort there; hieran hereon, at *or* by this; hierauf hereupon, after this; hieraus from here, out of this; hierbei herewith, enclosed; hierdurch through this, hereby; hierfür for this; hiermit with this, herewith; hiernach after this, hereafter; accordingly; hierüber over here; concerning this; hiervon hereof, from this; hierzu in addition to this; hie(r) und da here and there; hierzu-lande in this country

hiesig (hier) local; of this place *or* country
Das hiesige Klima ist ungesund. The climate here is unhealthy.

die **Hilfe** (helfen) help
Ich brauche Ihre Hilfe nicht; ich bin nicht hilflos; ich kann mir selber (= selbst) helfen.

das **Hilfsmittel, -s, —,** remedy; help, resource; expedient
Der Lehrer braucht verschiedene Hilfsmittel (helps) beim Unterricht.

der **Himmel, -s, —, sky, heaven [das Himmelreich kingdom of Heaven; himmlisch heavenly, celestial]; du lieber Himmel! good heavens!
Der Himmel war voller Sterne (full of stars).

****hin** there, to that place (*away from the speaker*); gone, lost; hin und wieder = dann und wann, von Zeit zu Zeit now and then; hin und her to and fro, back and forth; hin und zurück there and back; aufs ungewisse hin at hazard *or* random
Wenn Sie gleich abfahren, kommen Sie noch vor sechs Uhr hin.
Meine Ruhe ist hin. My peace is gone.
Hin ist hin (Sprichwort). What is lost, is lost.

hinab down (*away from me*) [hinab-fahren, hinab-steigen usw.]; dort hinab down there; den Hügel hinab down the hill

hinauf up, upward (*away from me*) [hinauf-fahren, hinauf-steigen usw.]; dort hinauf up there; die Treppe hinauf up the stairs

hinaus out, out there; G. hinein into [hinaus-fahren; hinaus-gehen, hinaus-steigen usw.]
Hinaus mit ihm! Out with him!
Wo soll das hinaus? Where is that leading to? = What are we coming to?
Ich sehe, wo du hinauswillst. I see what you are driving at.
Er ist darüber hinaus. He is beyond that, no longer cares for it.

***hindern,** verhindern = ab-halten hinder, impede, prevent [das Hindernis hindrance; hinderlich hindering, obstructing]
Wer sollte mich daran hindern? Who is going to prevent me (from doing it)?

hindurch (right) through; die ganze Nacht hindurch all through the night

hinein into; G. hinaus out [hinein-gehen; hinein-fahren; hinein-steigen usw.]; in den Tag hinein leben take things as they come, live from hand to mouth; mitten hinein right into the middle
Gehen Sie nur hinein, Sie werden erwartet. Go right in, you are expected.
Er lacht (lächelt) in sich hinein. He laughs (smiles) to himself.

hin=gehen (i, a) (s.) go there; hingehen lassen let go (unpunished)
Wo geht dieser Weg hin? Where does this road lead to?
Wir wollen es diesmal hingehen lassen. We will overlook it this time.

hin=reißen (i, i) carry away; charm; transport; sich vom Zorn hinreißen lassen give way to (be carried away by) one's anger

hin=setzen put down; sich hinsetzen sit down
Bitte setzen Sie das Glas hin.
Bitte setzen Sie sich hin.

die **Hinsicht** (hin=sehen) regard, respect [hinsichtlich with regard to, as to]
In dieser Hinsicht kann ich Ihnen keinen Bescheid sagen (oder geben).

hin=stellen put down, place; etwas als möglich hinstellen represent something as possible
Stellen Sie bitte die Vase dort hin.

hinten in the rear, behind; G. vorne in front
Sehen Sie die Berge dort hinten?
Er arbeitet hinten im Garten.

****hinter** (*dat. or acc.*) behind; G. vor ahead, before
Der Lehrer saß hinter dem Tische.
Es ist (steckt) was dahinter. There is something behind it.

der **Hintergrund, –s, ⸗e** (Grund) background; G. Vordergrund foreground
Im Hintergrunde des Gemäldes sah man hohe Berge.

hinter=lassen (ä, ie, a) leave behind, bequest; leave word; eine Botschaft, Nachricht, ein Andenken (souvenir), eine Erbschaft hinterlassen

hinüber over, to the other side, across [hinüber=gehen, hinüber=fahren, hinüber=steigen usw.]
Wir fahren oft über den See; wir fahren oft hinüber.

hinunter down (*away from the speaker*)
Er ist im Keller; gehen Sie nur hinunter.

hinweg away [hinweg=eilen, hinweg=laufen usw.; der Hinweg road to]; über eine Schwierigkeit hinwegkommen get over *or* overcome a difficulty

der **Hinweis, –es, –e** hint, reference [hin=weisen refer to, point to]
Der Hinweis genügte, er verstand sofort.
Er wies auf seine Erfahrungen hin (referred to).

***hinzu** to, in addition; there, to that place; besides
Ich kam gerade hinzu, als sie anfingen Ball zu spielen.

das **Hirn, –es, –e** = das Gehirn brain

der **Hirt, –en, –en** (*see* Herde) = einer, der Schafe, Kühe usw. hütet shepherd [der Gänsehirt, der Schafhirt, der Kuhhirt usw.]

die **Hitze** (heiß) heat

****hoch**, höher, höchst high, tall; G. niedrig [Eure Hoheit your highness]

die **Hochachtung** (achten) esteem, high regard; mit vorzüglicher Hochachtung oder Hochachtungsvoll very respectfully *or* with highest esteem (*phrase used in closing a letter*)
Ich empfand für ihn nur Hochachtung.

die **Hochbahn**, –en elevated railroad; G. die Untergrundbahn oder U-bahn subway
In New York benutzte ich oft die Hochbahn, meistenteils jedoch die U-bahn.

der **Hochmut**, –s pride, haughtiness
Hochmut kommt vor dem Fall (Sprichwort). Pride goeth before a fall.

höchst (*adv.*) highly, greatly, exceedingly
Diese Geschichte ist höchst interessant.

höchstens at the most
Er ist höchstens vierzig Jahre alt.

die **Hochzeit**, –en wedding, nuptials
Nach fünfundzwanzigjähriger Ehe feiert man die silberne Hochzeit.

der **Hof, –es, ⸚e yard; court; farm
Hinter dem Hause befindet sich der Hof.
Er macht ihr den Hof. He courts her.

***hoffen** (auf + *acc.*) hope (for) [hoffentlich it is to be hoped]
Worauf hoffen Sie noch? What are you still hoping for?

die **Hoffnung**, –en (hoffen) hope

höflich (Hof) polite, courteous; G. **grob** rude [die Höflichkeit courtesy]; einen aufs höflichste empfangen receive a person most courteously

die **Höhe**, –n (hoch) height; G. die Tiefe depth
Wo es Höhen gibt, gibt es auch Tiefen.
Er fährt in die Höhe. He jumps up.

***hohl** hollow, concave [die Höhle cave, cavern; den (of robbers)]
Manche alte Baumstämme (tree trunks) sind inwendig (inside) hohl.

der **Hohn**, –es scorn, disdain, sneer, ridicule [höhnisch scornful, sneering; höhnen = verhöhnen ridicule]; ihm zum Hohne to spite him; einem Hohn sprechen bid defiance to a person
Das ist ein Hohn auf die Menschheit (insult to mankind).

hold kind; lovely; propitious; das holde Kind the sweet child; holder Frühling lovely spring
Das Glück war ihm hold. Fortune favored him.
Sie ist ihm hold = Sie hat ihn gern.

****holen** (*cog.* haul) bring, fetch, get [ab-holen call for]; holen lassen send for; Atem holen draw (*or* take) breath
Ich muß mir Geld von der Bank holen.
Er holte sich einen Schnupfen dabei. He caught cold doing it.
Bei ihm ist nichts zu holen. Nothing can be had from him.
Hol ihn der Teufel! Let him go to the devil!

die **Hölle**, –n hell [*Old High German* Hel = die Todesgöttin]; Himmel und Hölle aufbieten move heaven and earth
Sie macht ihm die Hölle heiß. She makes it hot for him, makes life miserable for him.

das **Holz, –es, ⸗er wood, piece of wood [hölzern wooden]

*der **Honig**, –s honey

horchen = lauschen harken, listen (attentively) [die Horcherei eavesdropping]
Horch, es klopft! Hark, there is a knock!

****hören** hear [an=hören = zu=hören listen to]
Er hört nicht auf mich. He does not listen to me.

das **Horn**, –es, ⸗er horn, bugle
Der Jäger stößt ins Horn (is blowing the horn).

die **Hose, –n (*used chiefly in the pl.*) (*cog.* hose) trousers

hübsch nice, pretty, handsome; hübsch bleiben lassen take care to leave alone
Es ist hübsch (schön) von Ihnen (nice of you), daß Sie mich besuchen.

der **Huf**, –es, –e hoof [das Hufeisen horseshoe]

der **Hügel**, –s hill, hillock [hügelig hilly]

das **Huhn**, –es, ⸗er chicken [der Hühnerbraten = ein gebratenes Huhn roast chicken]

huldigen pay homage [die Huldigung homage]
Die Bevölkerung huldigte dem Fürsten.

die **Hülle**, –n husk; veil; cover, covering; jacket [hüllen cover, wrap, envelope]; in Hülle und Fülle in great abundance; die irdische oder sterbliche Hülle the earthly *or* mortal coil
Ihm fiel die Hülle von den Augen. A veil was taken from his eyes = He saw clearly.

der **Hund, –es, –e (*cog.* hound) dog; müde wie ein Hund = hundsmüde fagged out; auf den Hund kommen go to the dogs *or* to pot; degenerate

der **Hunger, –s hunger (die Hungersnot famine; hungrig hungry]; hungrig nach hungry for; vor Hunger sterben die of hunger
Hunger ist der beste Koch (Sprichwort).
Haben Sie Hunger? = Sind Sie hungrig?

hungern be hungry, suffer from hunger [verhungern die of starvation]
Es hungert mich = Mich hungert = Ich bin hungrig.

hüpfen (s.) hop, skip, gambol
Ihm hüpfte das Herz vor Freude. His heart leapt for (*or* with) joy.

der **Hut, –es, ⸗e hat; die Hut care, guard
Er ist auf seiner Hut. He is on his guard.

hüten (die Hut) guard, watch, tend; sich hüten beware; das Bett hüten keep in bed (*because of illness*); Gott behüte! God forbid! Behüt dich Gott! God keep (*or* bless) you!
Der Hirt hütet die Schafe.
Hüte dich vor ihm! Beware of him!

die **Hütte**, –n hut, cabin

I

****immer** always, ever; immer noch still, continuing to be; immer wieder again and again; immer mehr (immer größer, immer höher, immer schneller usw.) more and more (bigger and bigger, higher and higher, faster and faster, etc.); auf immer forever

immerfort = fortwährend, immerzu continually, evermore

immerhin = dennoch still, yet, nevertheless
Er mag arm sein, immerhin kann er nicht dafür (cannot help it).

immerzu = immerfort, fortwährend constantly

imstande able, capable, in a position
Ich bin nicht imstande, meine Schulden zu bezahlen.

****in** (*dat.*) in, within, at; (*acc.*) into

***indem** = während (*conj.*) while
Indem er auf die Straßenbahn wartete, fing es an zu regnen.

***indes** = indessen = inzwischen, unterdessen; doch; meanwhile; yet, however
Besorge du die Fahrkarten; ich werde indessen meine Koffer packen.
Er ist grob, indes er meint es nicht böse.

infolge (*gen.*) (folgen) in consequence of, because of
Infolge des kalten Wetters verschoben (postponed) wir unsere Reise.

der **Inhalt**, –s (halten) content

das **Inland**, –s inland; native country; G. das Ausland foreign country [inländisch native, domestic]

inmitten (*gen.*) (Mitte) in the midst of
Inmitten der Stadt stand ein alter Brunnen.

inne [inne=haben possess, master; inne=halten observe, keep; inne=werden (*gen.*) become conscious of]

***innen** within, internally, inside; G. außen outside, without; von innen heraus from within; nach innen zu inward
Wir haben das Haus von innen und von außen besehen.

inner inner, interior, inward; G. äußer outer, external [innerlich internal; das Innere inside *or* interior; G. das Äußere outside *or* exterior]; im Innern at heart; die innersten Gedanken the innermost thoughts; im Innersten der Erde in the bowels of the earth; sein Innerstes his inmost soul; bis ins Innerste to the core of the heart *or* inmost depths
Der innere Teil der Nuß ist der Kern (kernel, pit).

innerhalb (*gen.*) inside, within; G. außerhalb outside
Innerhalb des Hauses war alles ruhig.
Innerhalb einer Stunde müssen wir fertig sein.

innig hearty; ardent; intimate [die Innigkeit cordiality, intimacy]; die innigsten Grüße most cordial greetings
Sie waren sich innig zugetan. They loved each other ardently.

insbesondere (sonder) = besonders especially

die Inschrift, –en (schreiben) inscription
Die Inschrift auf einem Grabstein, einem Denkmal usw.

die Insel, –n island

insofern = insoweit in so far; as far as; inasmuch as
Insofern hast du recht. So far you are right.
Insofern du damit einverstanden bist, brauchen wir darüber nicht weiter zu reden.

insoweit = insofern

instand (Stand) [instand=setzen put into good condition; restore]

***das Interesse,** –s, –n interest [interessant interesting]
Ich habe kein Interesse an der Sache (daran). I am not interested in the matter (in it).
Die Interessen (die Zinsen) beliefen sich auf (amounted to) sechs Prozent jährlich.

interessieren interest; sich interessieren für be interested in
Interessieren Sie sich sich für die Oper?

inzwischen = indessen, unterdessen in the meantime, meanwhile

irdisch (Erde) earthly, worldly; irdische Überreste earthly remains; unter=irdische Gänge subterranean passages
Unsere irdischen Wünsche werden nicht immer erfüllt.

****irgend ein** any one; G. niemand no one; *similarly:* irgend wo anywhere, somewhere; irgend wie in any way; irgend wann at any time *or* some time; irgend wer someone, any one; irgend etwas something or other, anything
Welches Buch? Irgend ein(e)s.

irre (irren) astray; perplexed; out of one's mind [irre=sein be wrong; irre=gehen go wrong; irre=führen mislead; irre=machen confuse; irre=werden grow confused; die Irrfahrt, der Irrgang wanderings]
Er läßt sich nicht irremachen. He does not allow himself to be turned from his object (to be confused).
Er führt ihn in die Irre. He leads him astray, fools him.

***irren** err [sich irren be mistaken; irrig erroneous; sich verirren get lost]
Irren ist menschlich.
Er irrt sich in der Sache (darin). He is mistaken in the matter (in that).

der Irrtum, –s, ⁼er (irren) error, mistake; G. die Wahrheit truth
Du bist im Irrtum (= du irrst dich) in der Sache.

J

**ja yes; indeed, to be sure, in fact, etc. [das Jawort acceptance]; jadoch indeed, surely; ja freilich of course; ja gewiß certainly; jawohl yes indeed; ja *is sometimes used merely for emphasis and need not be translated*
Das tut er ja. That's just what he is doing.
Das ist ja fein, schlimm usw. That surely is fine, bad, etc.
Da sind Sie ja! There you are (at last)!
Ich habe es dir ja gesagt. Didn't I tell you, *or* I told you so.
Sie gab ihm das Jawort. She promised to marry him.

***jagen** chase, hunt; rush, dash [die Jagd chase, hunt; der Jäger hunter; der Jagdhund hound]

das **Jahr, –es, –e year [jahrelang for years; das Jahrhundert century; jährlich yearly, annual; der Jahrmarkt annual fair]; alle Jahre every year; alle zehn Jahre einmal once every ten years; Jahr und Tag a full year, a long time; übers Jahr a year hence, next year

die **Jahreszeit, –en** season; je nach der Jahreszeit according to the season

der **Jammer, –s** pity, misery, lamentation [jammern lament]; ein jammervoller Anblick a pitiful sight
Es ist ein Jammer, daß er keine Arbeit findet.

***je** ever, at any time; each (*distributive*) [je . . . je = je . . . desto the . . . the]; je länger, je (oder desto) schlimmer the longer, the worse; je eher je lieber the sooner the better; je mehr desto (oder um so) besser usw. the more the better, etc.; je nach den Umständen according to the circumstances; je nach dem as the case may be
Er gab den Knaben je zwei Äpfel. He gave the boys two apples apiece.

jedenfalls = auf alle Fälle at all events, in any case
Was auch geschehen mag, ich werde jedenfalls meine Pflicht tun.

****jeder** each, every [jederzeit at any time; jedesmal every time]

jedermann everybody, everyone; G. niemand nobody

***jedoch** = aber however
Er wollte gerne mitkommen, hatte jedoch keine Zeit dazu.

jeglicher = jeder each, every (one); in jeglicher (jeder) Hinsicht in every respect

jeher = immer, stets always
Das war von jeher (from time immemorial) Sitte bei uns.

****jemand** = irgend jemand somebody, someone, anybody, any one; G. niemand no one, nobody; jemand anders someone else
Es klopft jemand an der Tür.

****jener** that, that one, the former; yonder; G. dieser this, this one, the latter

jenseits (*gen.*) (Seite) on the other side, beyond; G. diesseits on this side
Er wohnt jenseits des Flusses.

****jetzt** = gegenwärtig now, at present [jetzig present]; erst jetzt only now

das **Joch**, –es, –e yoke

der **Jubel**, –s jubilation, joy, rejoicing [jubeln rejoice, exult, hail]
Der Weihnachtsbaum wurde von den Kindern mit Jubel begrüßt.

der **Jude**, –n, –n Jew [das Judentum Jewry; die Jüdin Jewess; jüdisch Jewish]

*die **Jugend** youth; young people; G. das Alter old age; old people [jugendlich youthful]
Die Jugend ist oft anderer Meinung als das Alter.

****jung** (⸚) young, youthful; G. alt old [die Jungfer = die Jungfrau maiden, virgin; eine alte Jungfrau old maid; der Junggeselle bachelor; jüngst recently, lately]

der **Junge**, –n, –n = der Knabe boy

der **Jüngling**, –s, –e (jung) young man, youth

das **Juwel**, –s, –en = der Edelstein jewel [der Juwelier jeweler]

K

****der Kaffee**, –s coffee [der Kaffeeklatsch gossip at a coffee party]; einen Kaffee geben give a coffee party

der **Käfig**, –s, –e cage (*see also* Bauer); in einen Käfig sperren put into a cage

der **Kahn**, –es, ⸚e = das Boot boat, barge, canoe

****der Kaiser**, –s, —, emperor [die Kaiserin empress; kaiserlich imperial; das Kaiserreich empire] (*Lat. caesar*)

das **Kalb**, –es, ⸚er calf

****kalt** (⸚) cold, frigid; G. warm warm, hot
Mir ist kalt (= mich friert).

die **Kälte** cold
Er zitterte vor Kälte.

das **Kamel**, –s, –e camel

der **Kamerad**, –en, –en = der Genosse comrade, companion [die Kameradschaft comradeship]
Georg ist ein Schulkamerad von mir.

****der Kamm**, –es, ⸚e comb, ridge [kämmen to comb]; alle über einen Kamm scheren treat everybody alike
Ihm schwillt der Kamm. He is growing arrogant.

die **Kammer,** –n = das Zimmer (*Lat. camera*) chamber [die Schlafkammer = das Schlafzimmer; die Handelskammer Chamber of Commerce; das Kammergericht Supreme Court; der Kammersänger concert singer]

*der **Kampf,** –es, ⸗e (*cog.* champion) struggle, fight, combat [der Kämpfer fighter]
Der schwerste Kampf ist der Kampf gegen die Dummheit.

kämpfen (Kampf) fight, struggle; kämpfen um (*acc.*) fight for

die **Kapelle,** –n chapel; orchestra, band [der Kaplan chaplain]
In der Kapelle befand sich ein Bild der Gottesmutter.
Die Kapelle im Park spielte mehrere Märsche.

*die **Karte,** –n (*Fr. carte*) card; map; ticket; chart [die Landkarte map; die Postkarte post card; die Wandkarte suspended map; das Kartenspiel card-playing; pack of cards]

die **Kartoffel, –n (*Ital. tartufo*) potato

der **Käse, –s (*Lat. caseus*) cheese
Ein Stück Brot mit Käse nennt man Käsebrot oder Butterbrot mit Käse (cheese sandwich).

·die **Kasse,** –n (*Ital. cassa*) strong box, money chest; office counter; box *or* ticket office [der Kassierer cashier, treasurer]
In der Kasse befanden sich einhundert Mark.
Sie müssen die Eintrittskarten an der Theaterkasse umtauschen (exchange).

der **Kasten, –s, — oder ⸗ = die Kiste chest, box; case; drawer [der Briefkasten letter box; der Brustkasten chest]

die **Katze, –n cat [der Kater tomcat]; die Katze im Sack kaufen buy a pig in a poke
Das ist für die Katze! That's no good to anyone!

****kaufen** buy, purchase; G. verkaufen sell [der Kauf, der Einkauf purchase; der Käufer buyer; der Kaufmann, *pl.* die Kaufleute, merchant; shopkeeper]
Den Kerl werde ich mir kaufen! I will give that fellow a sharp talking to! = I'll let him have it!

***kaum** scarcely, hardly, barely
Er ist kaum zwölf Jahre alt.

kehren brush, sweep; turn [ein⸗kehren turn in]; in ein Gasthaus einkehren put up at *or* enter a hotel
Neue Besen kehren (= fegen) gut (Sprichwort).
Er kehrte mir den Rücken zu. He turned his back to me.

****kein** (*adj.*) no; keiner, keine, keins (*pron.*) none, not any
Haben Sie noch Geld? Nein, ich habe kein Geld mehr (= ich habe kein(e)s mehr).

keinerlei (*see* –erlei) of no sort, none whatsoever; auf keinerlei Art (Weise) in no wise *or* way

keineswegs = keinesfalls oder keinenfalls in no way, by no means, on no account; not at all
Ich kann keineswegs nachgeben, ich muß diesmal hart sein.

der **Keller, -s, —, cellar (*Lat. cellarium*)

*der **Kellner**, -s, —, waiter in a restaurant [die Kellnerin (*fem.*)]

****kennen**, kannte, gekannt (*cog.* ken) know (by acquaintance) [an=erkennen recognize, acknowledge, appreciate; der Kenner expert, connoisseur; verkennen misunderstand]
Haben Sie meinen Vater gekannt? Nein, ich hätte ihn aber gern wollen kennenlernen.

die **Kenntnis**, -(ss)e (kennen) knowledge
Er hat sich große Kenntnisse erworben.

der **Kerl**, -(e)s, -e fellow; ruffian
Er ist ein herzensguter Kerl. He is a good-hearted fellow.
Er ist ein ganzer Kerl. He is every inch a man.

der **Kern**, -es, -e kernel, pith; substance, essence, gist [kerngesund thoroughly sound *or* healthy; Kerntruppen picked troops]
In jeder Pflaume befindet sich ein Kern.
Wir müssen den Kern der Sache erforschen (investigate the gist of the matter).

die **Kette**, -n (*Lat. catena*) chain [ketten to chain]; an die Kette legen = anketten chain
Bissige Hunde (dogs given to biting) sollte man an die Kette legen.

das **Kind, -es, -er child [die Kindheit childhood; kindisch childish; kindlich childlike, filial]; an Kindes Statt annehmen adopt; das Kind beim rechten Namen nennen call a spade a spade

*das **Kinn**, -es, -e chin

das **Kino**, -s, -s *popular for* Kinematograph = das Lichtbildtheater cinematograph, motion-picture theater, movie

die **Kirche, -n church [kirchlich ecclesiastical; der Kirchturm church steeple; der Kirchgänger churchgoer]

die **Kirsche**, -n cherry
Mit ihm ist nicht gut Kirschen essen. He is not a nice *or* pleasant fellow to deal with.

das **Kissen**, -s, —, pillow; cushion [das Bettkissen, das Kopfkissen, das Sofakissen; der Kissenüberzug pillow slip]
Ein gutes Gewissen ist ein sanftes Ruhekissen (soft pillow to rest on) (Sprichwort).

die **Kiste**, -n = der Kasten chest; box; case, crate; eine Kiste Zigarren; eine Kiste zum Einpacken a packing case

*****klagen** complain, lament; sue, bring suit against [beklagen mourn; sich beklagen complain; die Klage complaint, lament; suit, action; der Kläger plaintiff]
Er klagte bitter über dein Benehmen.

der **Klang**, –es, ⁻̈e (klingen) (*cog.* clank) sound; mit Sang und Klang with song and music; ohne Sang und Klang with muffled drums; unceremoniously
Ich erkannte ihn an dem Klang seiner Stimme.
Sein Name hat einen guten Klang (repute).

****klar** clear, distinct; bright, plain; evident [die Klarheit clearness, clarity]
Habe ich es Ihnen klar gemacht?
Er ist sich im klaren darüber. He sees his way clear in the matter.

die **Klasse, –n class, group of students

kleben (*cog.* cleave) glue, paste, adhere [klebrig sticky]; am Buchstaben kleben adhere to the letter
Wir müssen die zerbrochene Tasse zusammenkleben.
Die Zunge klebt mir am Gaumen (sticks to the roof of my mouth) vor Durst.

*das **Kleid**, –es, –er (*cog.* cloth) dress, gown; *pl.* clothes [kleidsam becoming; die Kleidung clothing]

sich **kleiden** (Kleid) clothe, dress; suit; become
Das Mädchen kleidet sich immer nach der neuesten Mode.
Der neue Hut kleidet sie gut (= steht ihr gut).

****klein** little, small; G. groß big, large [die Kleinigkeit small matter; trifle; kleinlich petty, paltry]

klettern (s.) climb, creep [die Kletterrose rose creeper]; auf die Berge, auf den Baum klettern climb the mountains, the tree

***klingeln** ring, tinkle [die Klingel bell]
Hat es schon geklingelt? = Hat die Glocke schon geläutet?
Das Telefon hat geklingelt.

klingen, klang, geklungen ring; sound; clink; mit klingender Münze zahlen = bar zahlen pay cash
Die Kirchturmglocken klangen von ferne.
Die Ohren klingen mir. My ears are tingling.

***klopfen** knock, beat, tap
Es klopft an die Tür. Someone is knocking on the door.
Er klopfte den Teppich aus. He was beating the rug.

das **Kloster**, –s, ⁻̈er (*Lat. claustrum*) cloister, monastery, convent

klug (⁻̈) = geschickt clever, intelligent, prudent; cunning, shrewd; G. dumm stupid [die Klugheit cleverness, prudence]
Er wird daraus nicht klug. He cannot understand it, is at a loss.
Der Klügere gibt nach (Sprichwort). The wiser head gives in.

der **Knabe, –n, –n (*cog.* knave) boy, lad

knapp scant, concise, tight; short of something [die Knappheit scarcity]; in knapper (concise) Form; mit knapper Not barely; knappe Zeiten hard times; ein knapper (= enger tight) Schuh
Ich bin knapp an Geld, kannst du mir drei Mark leihen?

der **Knecht**, –es, –e (*cog.* knight) servant; farm hand

*das **Knie**, –s, –e knee [knien kneel]

*der **Knochen**, –s, —, bone [knöchern bony, of bone]

*der **Knopf**, –es, ⸗e (*cog.* knob) button, stud [an=knöpfen tie to; auf=knöpfen unbutton; zu=knöpfen button up]
Ich kann den Rock nicht zuknöpfen; es sind keine Knöpfe daran.

knüpfen tie, knot [an=knüpfen tie; enter into *or* begin]; das Band der Freundschaft fester knüpfen strengthen the bond of friendship; ein Gespräch anknüpfen start a conversation

***kochen** cook, boil [der Koch cook, chef (*masc.*); die Köchin (woman) cook]

*der **Koffer**, –s, —, trunk

*die **Kohle**, –n coal; charcoal, carbon

komisch comical, funny, queer, droll

****kommen**, kam, ist gekommen come; kommen lassen send for; es kommt darauf an . . . that depends on . . .
Er kommt gelaufen, geritten. He comes a-running, a-riding.
Komme, was wolle. Let come what may.
Er kann nicht darauf (auf den Namen usw.) kommen. He cannot remember it (the name, etc.).
Er kommt nicht dazu. He does not get to it, has no time for it.

der **König, –s, –e king [die Königin queen; königlich kingly, royal; das Königreich kingdom]

****können**, konnte, gekonnt oder können (*cog.* can) be able, know how to; be allowed, permitted to
Er kann Deutsch. He knows German.
Er kann nichts dafür. (Was kann er dafür? Kann er dafür?) He cannot help it. (What can he do about it? Can he help it?)
Wir können nicht weg. We cannot get away.
Er kann was. He has learned something. He is capable.
Er lief, was er konnte. He ran as fast as he could.

der **Kopf, –es, ⸗e (*cog.* cup) head [der Kopfschmerz = das Kopfweh headache]; seinen Kopf durchsetzen get one's way; einen vor den Kopf stoßen give offense to someone
Mir tut der Kopf weh = Ich habe Kopfweh (= Kopfschmerzen).
Er ist nicht auf den Kopf gefallen. He is no fool.

der **Korb**, –es, ⸗e basket; ein Korb Gemüse a basket with (*or* of) vegetables
Er bekommt (holt sich), sie gibt ihm, einen Korb. He gets, she gives him, the mitten (the gate) = She refuses him.

das **Korn**, –es, ⸗er grain, corn; einen aufs Korn nehmen take aim at someone

der **Körper, –s, — = der Leib body [körperlich bodily, physical]

****kosten** = schmecken taste, try; cost
Kosten Sie mal die Suppe, ob sie nicht zu salzig ist.
Was kostet dieses Buch?

die **Kosten** (*pl.*) = Ausgaben expenses, costs, charges
Auf wessen Kosten? At whose expense?

***köstlich** (kosten) delicious; precious; delightful [die Köstlichkeit deliciousness; daintiness]
Der Wirt setzte uns köstliche Speisen vor.
Ich mußte über seine köstliche Geschichte herzlich lachen.

*die **Kraft**, ⸗e (*cog.* craft) strength, power, force, vigor [kräftig = kraftvoll strong, vigorous, forceful, powerful]; nach (besten) Kräften to the best of one's ability; in Kraft treten go into effect; wieder zu Kräften kommen regain one's strength

der **Kragen**, –s, —, collar
Es geht ihm an den Kragen. He catches it (is getting it in the neck), must suffer (pay) for it.

die **Krähe**, –n crow; rook [krähen to crow]

****krank** (⸗) (*cog.* crank) ill, sick, diseased; G. gesund well, healthy [die Krankheit sickness, illness; disease; das Krankenhaus hospital; kränklich sickly]

kränken (krank) hurt, vex, grieve; offend
Er fühlt sich tief gekränkt.

der **Kranz**, –es, ⸗e wreath, garland [bekränzen crown *or* decorate with wreaths *or* garlands]; einen Kranz winden make a wreath

das **Kraut**, –es, ⸗er herb, plant; cabbage; vegetable [der Krautacker cabbage field; das Sauerkraut]
Gegen den Tod ist kein Kraut gewachsen. There is no remedy (= no herb) against death.
In Amerika wird viel Kraut gezogen (raised).

die **Kreide (*Lat. creta*) chalk, crayon

der **Kreis**, –es, –e circle, sphere; range; district
Es geht alles mit mir im Kreise herum. My head is swimming.

das **Kreuz**, –es, –e cross (*Lat. crux — crucem*) [kreuzen go across, cross; die Kreuzung crossing (of the line, *also* of breeds]; zu Kreuze kriechen humble oneself; ein Kreuz schlagen make a sign of the cross; ans Kreuz schlagen = kreuzigen crucify; der Verein vom Roten Kreuz Red Cross Society; kreuz und quer crisscross, in all directions
Mir tut das Kreuz weh. I have a backache.

kriechen, kroch, ist gekrochen creep, crawl [der Kriecher cringer, sneak]
Er möchte vor Angst in ein Mauseloch kriechen. He is terribly frightened.

*der **Krieg**, –es, –e war, warfare [der Krieger warrior; kriegerisch warlike, martial]; Krieg führen wage war; in den Krieg ziehen go to war

kriegen = bekommen; erhalten; Schläge kriegen get a beating

*die **Krone**, –n (*Lat. corona*) crown [krönen to crown; der Kronprinz crown prince; die Krönung coronation]
Das setzt allem die Krone auf. That crowns (*or* tops) it all.
Was ist ihm in die Krone gefahren? What got into his head? What is he offended at?

der **Krug**, –es, ⁼e mug, pot (of beer); jug, pitcher; *also* village inn, tavern

***krumm** (⁼) crooked, bent, curved; G. gerade straight [krümmen bend, curb; die Krümmung turn, winding]; jemand krumm schlagen beat up someone mercilessly

die **Küche**, –n (kochen) (*Lat. cocina*) kitchen
Der Koch und die Köchin kochen in der Küche.

*der **Kuchen**, –s, — (kochen) cake; *pl.* cookies

der **Kuckuck**, –s, –e cuckoo; zum Kuckuck (noch einmal)! the deuce!
Hol dich der Kuckuck! Go and be hanged!

die **Kugel**, –n bullet, ball; sphere, globe [die Kanonenkugel cannon ball; die Erdkugel globe (of the earth); die Flintenkugel bullet (of a rifle)]

*die **Kuh**, ⁼e cow

****kühl** cool, fresh [kühlen to cool]

kühn (*cog.* keen) = furchtlos, keck bold, daring, audacious [die Kühnheit boldness]
Der Mann wurde für seine kühne Tat belohnt.

der **Kummer**, –s (*cog.* cumber *as in* encumbrance) grief, anxiety, sorrow [kümmerlich miserable]
Sie hat großen Kummer um ihr krankes Kind.

kümmern (Kummer) concern; mind; take care; sich kümmern um (*acc.*) care about
Was kümmert mich das? What do I care about it?
Er kümmert sich nicht um das Kind.

kund (*cog.* couth = known; uncouth = unknown, awkward, odd) = bekannt known [kundig versed, expert; kund=machen, kund=tun (poetisch), kund=geben make public, announce]
Was geschah? Ich tu's euch kund (I'll make it known, tell you).
Er ist des Weges kundig. He knows the way.

die **Kunde** (kennen) = die Nachricht information, knowledge
Ich habe die Kunde erhalten, daß unser Freund noch heute eintrifft.

künftig (kommen) = das, was kommt future, in the future; G. gegenwärtig present, in the present
Die Menschen träumen von besseren künftigen Tagen.

*die **Kunst**, ⁼e art; skill [der Künstler artist; die Künstlerin (woman artist); künstlerisch artistic; künstlich artificial; das Kunstwerk work of art]
Die Malerei ist eine Kunst; leider sind nicht alle Maler große Künstler.

das **Kupfer**, –s (*Lat. cuprum*) copper [die Kupfermünze copper coin]

der **Kurfürst**, –en, –en prince elector [küren = wählen; erküren = erwählen; die Auserkorene the chosen one; loved one, bride-to-be]
Im Mittelalter besaßen die Kurfürsten große Macht.

****kurz** (⸚) (*cog.* curt) short, brief; G. lang long [die Kürze shortness, brevity; kürzen, abkürzen, verkürzen shorten; kürzlich recently; die Kürzung abbreviation, abridgment]; kurz und gut in short; plainly; vor kurzem = kürzlich = nicht lange her a short time ago: lately, recently; den Kürzeren ziehen get the worst of it

*die **Kusine**, –n (*also spelled* Cousine) = die Base (woman) cousin

***küssen** kiss [der Kuß kiss]

die **Küste**, –n coast, shore
Ich wanderte an der Meeresküste entlang.

L

***lächeln** (lachen) smile
Er sagte nichts, sondern lächelte nur.

****lachen** laugh [das Lachen laughter; lächerlich laughable, ridiculous]
Wer zuletzt lacht, lacht am besten (Sprichwort).
Er lachte hell (laut) auf. He broke into a hearty laugh.

laden, lädt, lud, geladen load, charge; summon, invite, cite [die Ladung load; aus=laden unload]; eine Flinte laden load a gun; eine Last auf sich laden take a burden upon oneself; einen zu Tische laden (ein=laden) ask a person to dinner; vor Gericht laden cite before a court, serve a summons (*Pres. tense also* ladet)

*der **Laden**, –s, ⸚, store, shop; *pl. also* Laden

die **Lage**, –n (liegen) (*cog.* lay) location; position; die Lage der Dinge state of affairs
Das Haus hat eine herrliche Lage.
Ich bin nicht in der Lage, Ihnen zu helfen.

das **Lager**, –s, —, camp, encampment; couch, bed; layer, stratum; storehouse; auf dem Lager haben have in stock, store, *or* on hand
Die Soldaten schlugen ein Lager auf (pitched camp).
Der Wanderer suchte sich Nachtlager.

lahm lame [lähmen paralyze, cripple; die Lahmheit lameness]; von Geburt lahm sein be lame since birth; eine lahme Entschuldigung a poor *or* feeble excuse

das **Lamm**, –es, ⸚er lamb

*die **Lampe**, –n lamp, lantern

das **Land, –es, ⸚er (*poetic pl.* –e) land, country; ground, soil [landen land, disembark; das Landhaus villa; ländlich country-like, rustic; die Landkarte map; die Landung landing, debarkation]; hierzulande in this country; aufs Land to the country; auf dem Lande in the country; vom Lande stoßen put to sea der **Landmann,** –s (*pl.* Landleute) = der Bauer peasant

die **Landschaft,** –en landscape; province, district

der **Landsmann,** –s (*pl.* Landsleute) countryman, compatriot
Was für ein Landsmann sind Sie? Where do you come from?
Er ist ein Landsmann von mir (of mine).

die **Landstraße,** –n country road; highway

der **Landwirt,** –s, –e farmer [die Landwirtschaft agriculture; farming, husbandry; landwirtschaftlich agricultural]
Die Landwirte klagen, daß die Landwirtschaft wenig eintrage (brings small profit).

****lang** (⸗) long; G. kurz short [länglich longish, oblong]; ein Jahr (eine Stunde, eine Woche) lang for a year (an hour, a week); jahrelang (wochenlang, stundenlang, tagelang usw.) for years, etc.; seit langem since many a day, for a long time

lange long time
Das ist lange her. That's long ago.
Das kann noch lange (nicht mehr lange) dauern. That may yet last for a long time (cannot last much longer).

die **Länge,** –n length; der Länge nach lengthwise; at full length

die **Langeweile** tediousness, boredom [langweilen bore; sich langweilen be bored; langweilig tedious]
Ich habe Langeweile = Ich langweile mich = Es ist mir langweilig.

längs (*dat.*) = entlang along, alongside of; längs dem Flusse (der Küste) hinfahren skirt the river bank (the coast)

****langsam** slow; G. schnell fast
Die Uhr geht zu langsam. The watch loses time.

längst long ago, a long while
Ich bin schon längst hier. I have been here a long while.

der **Lärm,** –(e)s = das Geräusch noise, racket [lärmen be noisy]; Lärm blasen sound alarm; viel Lärm um nichts much ado about nothing
Kinder, macht nicht so viel Lärm!

****lassen,** läßt, ließ, gelassen let, leave; permit; have made; allow [verlassen leave, desert]
Er läßt nichts von sich hören. He gives no news of himself.
Er läßt davon, von ihr (ab). He renounces it, her.
Das muß man ihm lassen, er ist klug. There is no denying he is shrewd.
Er kann das nicht lassen. He cannot keep away from it (from doing it).
Er läßt sich in eine Sache (darauf) ein. He enters into *or* meddles with an affair (with it).
Lassen wir das! Never mind that. Hands off!
Das läßt sich hören! That's worth while (listening to)!

die **Last,** –en load, burden [lasten weigh upon; lästig burdensome, troublesome; das Lasttier beast of burden]
Der Esel kann große Lasten tragen.
Er fällt (liegt, ist) ihm zur Last. He is a burden to him.

das **Laster,** –s, —, vice; G. die Tugend virtue [der Lästerer blasphemer; lasterhaft vicious, wicked]
Das Laster ist so alt wie die Menschheit.

lateinisch Latin [das Latein Latin language]
Er liest fließend lateinisch.

die **Lauer** ambush (*cog.* lurk) [lauern auf (*acc.*) lurk; observe]
Er ist (liegt, steht) auf der Lauer. He is lying in wait.
Er lauert auf den Briefträger. He is waiting (impatiently) for the mailman.

der **Lauf,** –es, ⸗e (laufen) run, running; course; current; race [der Läufer runner]; im Laufe der Zeit in the course of time
Er läßt ihm freien (seinen) Lauf. He gives him free rein.

****laufen,** läuft, lief, ist gelaufen (*cog.* leap) = rennen run; walk; um die Wette laufen race (for a wager)
Er kann Schlittschuh laufen. He can skate, knows how to skate.
Er läßt ihn laufen. He lets him go, escape; dismisses him.
Die Uhr läuft (geht) nach oder vor. The watch goes too slow or too fast.

die **Laune,** –n (*cog.* lunacy, lune) = die Stimmung humor, temper; whim, caprice [launenhaft capricious]
Er ist in (bei) guter (oder schlechter) Laune.

lauschen = horchen listen, harken [der Lauscher one who listens; eavesdropper]
Schämen Sie sich, Sie haben an der Tür gelauscht (were eavesdropping).

****laut** loud, noisy; aloud; G. leise soft, gentle
Er spricht sehr laut = Er spricht mit lauter Stimme.

laut (*gen.*) in accordance with, according to; by virtue of; laut des Befehls by order (of)

der **Laut,** –es, –e sound
Er gab keinen Laut von sich. He did not utter a sound.

lauten (Laut) read *or* run (of a passage)
Wie lautet der Brief oder die Stelle?

läuten (Laut) ring; toll (of a bell)
Die Glocke läutet.

lauter pure; nothing but, sheer; aus lauter Bosheit from sheer malice
Die Uhr war aus lauterem Gold.
Das sind lauter Lügen (nothing but lies).

****leben** live, be alive [lebendig alive, living; lebhaft lively, vivid]; auf großem Fuße (= in Saus und Braus) leben live in great style *or* in luxury; einen hoch leben lassen drink one's health; to cheer

Es lebe der König! Long live the king!
Amerika soll leben! America forever!
Die Damen sollen leben! Three cheers for the ladies!

das **Leben,** –s life; animation; bustle; ums Leben kommen lose one's life
Er spielt für sein Leben gern. He is passionately fond of playing.
Er ist (erhält sich) noch am Leben. He is (keeps himself) still living *or* alive.
Herr du meines Lebens! Well, I never!
Er hatte das zwanzigste Lebensjahr erreicht.

das **Lebensmittel,** –s, —, food, provision, victuals
Die Lebensmittel sind heute sehr teuer.

das **Lebewohl,** –s good-bye, farewell
Ich muß jetzt fort, also sage ich Lebewohl!

das **Leder,** –s leather [ledern of leather, leathern]
Schuhe und Stiefel (boots) werden aus Leder gemacht.

ledig free from, rid of; single, unmarried [lediglich solely, merely]
Wenn man tot ist, ist man aller Sorgen ledig.
Ist er verheiratet oder noch ledig?

****leer** (*cog.* leer) empty, bare, vacant; hungry; G. voll full [leeren to empty]; eine leere Stelle a vacant position
Der Tisch ist leer (= es ist nichts darauf).
Das Glas ist leer (= es ist nichts darin).

****legen** lay, place, put [sich legen lie down; abate; nieder=legen lay down, resign, abdicate; sich nieder=legen lie down]; die Karten legen tell a fortune from cards; sich ins Mittel legen intervene; einem etwas nahe legen suggest something to a person; zurecht=legen arrange
Der Sturm, der Schmerz, legt sich (subsides).

***lehnen** lean; sich lehnen (an + *acc.*) lean oneself (on *or* against), recline
Er lehnte sich an den Tisch.
Er stand an einen Baum gelehnt (leaning against).
Die Tür war nicht geschlossen, nur angelehnt (slightly ajar).

die **Lehre** (*cog.* lore) lesson; doctrine; rule, precept; apprenticeship; einem eine gute Lehre geben teach someone a good lesson; jemanden in die Lehre geben to apprentice someone

****lehren** teach, instruct [das Lehrbuch manual, textbook; der Lehrer teacher, instructor; die Lehrerin instructress; lehrreich instructive]

der **Lehrling,** –s, –e (lehren) = der Lehrbursche apprentice; als Lehrling ein Handwerk lernen be apprenticed to a trade

*der **Leib,** –es, –er = der Körper body; waist [leiblich bodily, corporal, physical; leibhaftig incarnate, personified]; beileibe nicht! on no account!
Er geht (rückt) ihm zu Leibe. He attacks him.
Bleib mir damit vom Leibe! Don't bother me with it!

die **Leiche**, –n = der Leichnam corpse; funeral
Einen Toten nennt man eine Leiche.

****leicht** (*cog.* light) easy, light, slight; G. schwer hard [die Leichtigkeit ease, facility]
Das ist eine leichte Aufgabe, sie ist leicht zu machen.

der **Leichtsinn**, –s frivolity, carelessness; recklessness; G. der Ernst seriousness, earnestness [leichtsinnig frivolous; reckless; thoughtless]
Die Jugend ist oft leichtsinnig.

das **Leid**, –es suffering, pain; wrong; sorrow [leidlich tolerable]
Er tut ihm ein Leid(e)s an (= fügt ihm ein Leid zu). He injures him.
Er tut sich ein Leids an. He commits suicide.
Es ist (tut) mir leid darum (um ihn). I am sorry about it (for him).

***leiden**, leidet, litt, gelitten (Leid) suffer; stand, bear; tolerate; endure, get along [erleiden suffer, undergo]; einen Verlust, eine Niederlage erleiden
Er leidet daran (darunter). He suffers from it.
Er kann ihn nicht leiden. He dislikes him.

die **Leidenschaft**, –en passion [leidenschaftlich passionate]
Er hatte eine echte Leidenschaft für schöne Bücher.

***leider** unfortunately
Ich kenne ihn leider nicht. I am sorry to say (*or* unfortunately) I do not know him.

***leid=tun** (a, a) cause sorrow, make one feel sorry
Es tut mir leid (I am sorry), daß du krank bist.
Er tut mir leid. I feel sorry for him.

leihen, lieh, geliehen lend, loan; borrow from [das Leihhaus pawnbroker's shop; das Leihamt loan office; die Leihbibliothek circulating library; leihweise as a loan]
Ich habe mir zwei Dollars von ihm geliehen (= geborgt).
Ich habe ihm Geld geliehen (loaned to him).

****leise** soft, low, gentle; G. laut, stark loud, vigorous
Sprechen Sie leise, damit die Kinder nicht aufwachen.

leisten accomplish; render, do; sich leisten afford [die Leistung performance, accomplishment; output]; Hilfe leisten assist; einen Eid leisten take an oath
Er arbeitet immer; aber hat er schon etwas geleistet?
Das kann ich mir nicht leisten. I cannot afford that.

***leiten** = führen conduct, lead, guide; direct, manage [die Leitung guidance, conduct; der Leiter leader, guide, conductor]
Leiten bedeutet führen; ein Leiter ist ein Führer.

lenken guide, direct, steer; die Aufmerksamkeit auf sich lenken attract attention to oneself
Der Mensch denkt, Gott lenkt (Sprichwort). Man proposes, God disposes.

die **Lerche**, -n lark

Die Lerche und die Nachtigall sind die beliebtesten (most liked) Singvögel (songbirds) Europas.

****lernen** learn, study

Er lernt ihn (es) kennen. He makes his (its) acquaintance, gets to know him (it).

****lesen**, liest, las, gelesen read; gather; lecture (at university) [der Leser reader]

****letzt** last, final, ultimate [der letztere the latter]

leuchten (Licht) emit light, make light for [die Beleuchtung illumination; der Leuchter candlestick; die Leuchtfackel torch; der Leuchtturm lighthouse; der Leuchtkäfer glowworm]

Ich leuchtete meinem Freunde die dunkle Treppe hinunter.

Nach einem Gewitter gibt es oft ein Wetterleuchten (summer lightning).

leugnen, verleugnen deny [der Leugner one who denies; die Verleugnung denial]

Leugne nicht, du hast es getan.

die **Leute people [*pl. of* -mann *referring to a class or calling; cf.* Kaufmann = Kaufleute; Seemann = Seeleute]

Man muß seine Leute kennen. One must know his customers *or* with whom one is dealing.

das **Licht, -es, -er = die Kerze light, illumination; candle (licht light, bright, lucid]; hinters Licht führen mislead; einem ein Licht aufstecken open one's eyes (to the real facts)

Mir geht ein Licht auf. It dawns upon me. I begin to see.

***lieb** (*cog.* lief) (lieben) charming, nice, lovely [lieber rather; am liebsten preferably]

Er ist ein sehr lieber Mensch.

Das ist mir sehr lieb. I like that very much.

Ich habe ihn sehr lieb. I am very fond of him.

Ich habe sie lieber. I like her better.

Ich habe dich am liebsten. I like you best.

Er bekommt (gewinnt) sie lieb. He grows fond of her.

die **Liebe** love [liebevoll loving, affectionate]; ihm zuliebe for his sake

Die Liebe ist blind (Sprichwort).

****lieben** love, like [sich verlieben (in + *acc.*) fall in love with]

Ich liebe nicht gestört zu werden. I don't like to be disturbed.

liebenswürdig = gütig kind, amiable, charming [die Liebenswürdigkeit kindness, amiability]

Er empfing uns äußerst liebenswürdig (most kindly).

Bitte, seien Sie so liebenswürdig. Please be so kind.

der **Liebhaber**, -s, —, lover; amateur [eine Liebhaberbühne amateur theater]

Er war ein Liebhaber von Rennpferden (race horses).

lieblich delightful; lovely; charming
Die Nachtigall singt noch lieblicher als die Lerche.

der **Liebling**, -s, -e favorite, darling [das Lieblingsgericht favorite dish]
Das jüngste Kind ist oft der Liebling der Eltern.

das **Lied, -es, -er song, air, tune
Dieses Liederbuch enthält viele schöne Volkslieder.

liefern furnish, supply; deliver [die Lieferung delivery]
Das Schaf liefert uns Wolle.

****liegen**, lag, gelegen lie; be situated
Das Buch liegt auf dem Tisch(e).
Die Stadt liegt im Tal(e).
Woran liegt es (how is it *or* what is the cause of), daß du nie Geld hast?
Das liegt nicht an mir. That does not depend on me. That is not my fault.
Es liegt ihm viel (wenig, nichts) daran = Es ist ihm viel (wenig, nichts) daran gelegen. It is of great (little, no) importance to him.

die **Lilie**, -n lily

*die **Linde**, -n = der Lindenbaum linden tree

*die **Linie**, -n (*Lat. linea*) line; in erster Linie first of all
Es gibt gerade, krumme und Parallellinien.

****link** left; G. recht right; zu seiner Linken sitzen sit at his left side

links to, on, *or* at the left; G. rechts to, on, *or* at the right

*die **Lippe**, -n lip [die Oberlippe, die Unterlippe]; die Lippen aufwerfen purse up one's mouth; an jemandes Lippen hängen hang upon one's words

die **List**, -en cunning, art, trick [listig tricky, artful, sly]
Der Fuchs ist ein Meister der List; er ist ein listiges Tier.

die **Liste**, -n list, roll
Wollen Sie bitte Ihren Namen in diese Liste eintragen (register)?

***loben** praise, laud; G. tadeln rebuke, censure, criticize [das Lob praise, commendation; löblich commendable]
Manche Schüler werden gelobt, andere getadelt.

das **Loch**, -es, ⸗er hole

locken lure, tempt, entice, bait [die Lockung temptation, allurement]
Dein Anerbieten lockt mich. Your offer tempts me.

*der **Löffel**, -s, —, spoon, ladle

***lohnen** compensate, reward; sich lohnen be worth while, pay [der Lohn = die Belohnung wages, pay; reward]
Es lohnt sich nicht, daß wir noch länger darüber sprechen.

das **Los**, -es, -e lot, fate, destiny; lottery ticket
So ist das Menschenlos. Such is the destiny of man.
Er hat das große Los gezogen. He won the first prize.

***los** loose; rid of [los-brechen, los-sein, los-machen, los-lassen, los-werden usw.; –los (*suffix*) –less: wortlos, wertlos, sorgenlos usw.]
Er machte sich von der Arbeit los. He freed himself from his work.
Ich bin es los. I am rid of it.
Was ist los? What is the matter?
Jetzt geht es los. Now we are off. Now the thing is started. Now the fun begins.
Immer frisch darauf los! Go ahead! Courage! Forward!
Er geht (schlägt) auf ihn los. He rushes upon (attacks) him.

löschen, aus-löschen put out, extinguish; quench; unload (ship) [das Löschpapier = das Löschblatt blotter]; das Feuer löschen (extinguish); den Durst löschen (quench)

***lösen** (los) loosen, untie; guess, solve; buy (ticket) [die Lösung solution]; den Knoten lösen untie a knot; eine Fahrkarte lösen buy a ticket
Ich kann das Rätsel nicht lösen.

der **Löwe, –n, –n lion

die **Luft, ⸗e air (luftig airy, breezy]
Er schöpft (frische) Luft. He catches his breath, gets a whiff of fresh air.
Er macht (schafft) sich oder seinem Herzen, seinen Gedanken Luft. He gives vent to his feelings, thoughts; eases his mind.

die **Lüge,** –n (lügen) lie
Lügen haben kurze Beine (Sprichwort).

lügen, log, gelogen lie [der Lügner liar]
Wer einmal lügt, dem glaubt man nicht, und wenn er auch die Wahrheit spricht (Spruch).

die **Lunge,** –n lung [die Lungenentzündung inflammation of the lungs, pneumonia; die Lungenschwindsucht pulmonary consumption]

*die **Lust,** ⸗e (*cog.* lust) desire; pleasure, delight
Ich habe keine Lust zum Spazierengehen.
Er hat seine Lust daran. He delights in it.
Er hat Lust dazu. He is in the mood for it, fancies it.

lustig (Lust) merry; G. traurig sad [die Lustigkeit merriment]
Er macht sich darüber lustig. He makes fun of it.

M

****machen** make; do; sich auf den Weg machen get started
Das macht nichts. That does not matter.
Er macht einen Spaziergang. He is taking a walk.
Das läßt sich machen. That can be done.
Das macht ihm wenig aus. That makes little difference to him.
Das macht sich gut. That comes out all right, looks well.
Er macht sich daran, an die Arbeit usw. He sets about it, gets busy, etc.
Er macht sich nichts daraus. He cares nothing about it.

Mach', daß du fortkommst! Off with you!
Mach' doch! Do hurry!
Mach' schnell (rasch)! Be quick!
Was machen wir? What shall we do?

*die **Macht**, ⸗e might, power, force; authority
Macht geht noch immer vor Recht.

mächtig (Macht) = gewaltig, sehr groß mighty, powerful; huge [allmächtig almighty]; ein mächtiges Heer a huge army; einer Sprache mächtig sein have full command of a language

das **Mädchen, -s, — (*cog.* maid, maiden) girl [mädchenhaft maidenly]

die **Magd**, ⸗e maid of all work, servant girl; farm hand

*der **Magen**, -s, — oder ⸗ (*cog.* maw) stomach
Den Kerl habe ich im Magen. I cannot bear (cannot stomach) that fellow.

*das **Mahl**, -es, -e = die Mahlzeit meal, repast; feast; das Mahl bereiten prepare the meal

mahlen (Mühle) grind
Der Müller mahlt das Korn in der Mühle.

die **Mahlzeit**, -en meal
Frühstück, Mittagessen und Abendessen sind die drei Mahlzeiten des Tages.

mahnen = warnen admonish; remind; warn [die Mahnung admonition]
Ich mahnte ihn vorsichtig zu sein.
Ich habe ihn schon mehrfach wegen seiner Schuld (oder an seine Schuld) gemahnt (reminded him of his debt, asked for payment).

das **Mal, -s, -e (*cog.* meal = definite time) time; mark; mole [das Muttermal birthmark, mole]; auf einmal (= plötzlich) all of a sudden, in one stroke, suddenly; nicht einmal not even; zum erstenmal for the first time; mit einem Mal all of a sudden; ein für allemal once for all
Das erste Mal, als du kamst, war ich nicht zu Hause.
Kommen Sie mal her! Just come here!

malen paint [der Maler painter; die Malerei (art of) painting; malerisch picturesque]

****man** (*cog.* man) one; people; we; you; a person; anybody, somebody; man sagt it is said, they say

****manch** (mancher) many a; manche some
Er ist krank und hat schon manche schlaflose Nacht gehabt.
Manche Menschen haben immer Glück.

mancherlei = allerlei (*see* -erlei) all sorts; auf mancherlei Art in various ways
Wir haben uns nach all den Jahren mancherlei zu erzählen.

manchmal sometimes
Manchmal regnet es, und manchmal scheint die Sonne.

der **Mangel**, –s, ⁼ (*cog. possibly* mangle = cripple) need, lack, deficiency [mangelhaft deficient; poor; mangeln lack, be wanting]
Manche Städte haben Mangel an gutem Wasser.

der **Mann, –es, ⁼er man; male; husband [männlich manly; male, masculine]
Ein Mann, ein Wort. A real man keeps his word. (*It may mean:* I give you my word upon it.)

mannigfaltig (falten) = mannigfach, mancherlei, allerlei manifold, various [die Mannigfaltigkeit manifoldness]
Seine mannigfaltigen Wünsche kann niemand erfüllen.

der **Mantel, –s, ⁼ (*cog.* mantle) = der Überrock, der Überzieher overcoat, cloak; den Mantel anziehen, ablegen (put on, take off)

das **Märchen**, –s, —, fairy tale; fabulous story [märchenhaft fabulous]
Das ist ein Märchen aus Tausendundeiner Nacht (Arabian Nights).

die **Mark mark (*German coin worth about* 40 *cents*)

die **Marke**, –n stamp; brand (of goods); token
Ich sammle Briefmarken.
Welche Marke (Wein, Zigarren usw.) können Sie mir empfehlen?

*der **Markt**, –es, ⁼e market, market place; fair [der Marktplatz market place]
Auf dem Markte werden allerlei Sachen verkauft.

*der **Marsch**, –es, ⁼e march [marschieren go (on foot), march]
Die Soldaten befanden sich auf dem Marsch.
Mein Freund hat einen flotten (= lustigen) Marsch (= ein Marschlied) komponiert.

das **Maß**, –es, –e (messen) measure; über die (alle) Maßen beyond all bounds, excessively
Ich verlange immer ein volles Maß, wenn ich einkaufe.

die **Masse**, –n mass, crowd, multitude; bulk [massenhaft abundant]
Es war eine Masse Menschen in der Kirche.

mäßig (Maß) moderate, sober, temperate [die Mäßigkeit moderation, frugality, temperance]; zu einem mäßigen Preise at a reasonable price *or* figure

der **Maßstab**, –s, ⁼e (*see* Maß *and* Stab) standard; scale; criterion; in kleinerem Maßstabe on a smaller scale
Sie legen einen zu strengen Maßstab an (apply too severe a standard).

matt faint, dim, feeble, dull; exhausted [die Mattheit, die Mattigkeit lassitude, faintness]; eine matte (dull) Farbe; matt werden grow faint; mattes (dim) Licht
Er war so matt, daß er kaum sprechen konnte.

*die **Mauer**, –n wall (of stone *or* brick)
Das Wort „Mauer" stammt aus dem Lateinischen *murus*.

*das **Maul**, –es, ⸗er mouth (of animal); snout; jaw; kein Blatt vors Maul nehmen not to mince words; das Maul vollnehmen brag; Honig ums Maul streichen flatter
Der Mensch ißt mit dem Mund, das Tier frißt mit dem Maul.
Halt's Maul! Keep quiet! Shut up!
Er ist nicht aufs Maul gefallen. He has a glib tongue, gift of gab.

die **Maus, ⸗e mouse

die **Medizin**, –en medicine [medizinisch medical, medicinal]; Medizin einnehmen take medicine
Mein Bruder studiert Medizin; er will Arzt werden.

das **Meer, –es, –e = die See sea, ocean [der Meeresstrand seashore]

das **Mehl**, –s (*see* mahlen *and* Mühle) (*cog.* meal) flour
Das Brot wird aus Mehl gebacken.

****mehr** more (*comparative of* viel) [mehrfach, mehrmals several times, repeatedly; die Mehrheit majority]

mehrere several
Ich habe noch mehrere Briefe zu schreiben.

die **Mehrzahl** plural; plurality

meiden, mied, gemieden = vermeiden avoid, shun
Man soll die Gesellschaft von bösen Menschen meiden.

die **Meile**, –n mile [meilenweit for miles]

****meinen** mean, think; believe [die Meinung opinion]
Was meinem Sie damit (by that)?
Das will ich wohl meinen! I quite believe it! I should say so!
Ich meine nur so. I merely meant to suggest it.
Die Sonne meint es gut. The sun is hot *or* shines brightly.
Er hat's nicht bös(e) gemeint. He meant no harm.

****meist** most; meistens mostly
Die meisten Menschen sind noch immer abergläubisch (superstitious).

*der **Meister**, –s, —, master; expert; champion [meisterhaft = meisterlich] masterly; meistern = bemeistern master, overcome; das Meisterstück masterpiece]
Der Meister und seine Gesellen saßen beim Abendbrot.

melden, anmelden announce, notify; sich melden report [die Meldung announcement]; einem etwas melden lassen send word to a person
Haben Sie mich angemeldet?
Der Winter meldet sich (sets in).

melken (Milch) milk

*die **Menge**, –n (*cog.* among, mingle) crowd, multitude; quantity
Eine große Menge Menschen hatte sich am Unglücksort angesammelt.

der **Mensch, –en, –en man in general, human being; person [die Menschheit mankind; menschlich human, humane; die Menschlichkeit humanity, humanness]

Der Mensch ist sterblich (mortal).
Irren ist menschlich.
Wenn mir was Menschliches begegnet . . . If anything unforeseen happens to me . . .

***merken** (*cog.* mark) mark, note, notice; remember
Er merkte gar nicht, daß man sich über ihn lustig machte (made fun of him).
Er merkt sich das. He remembers that, makes a mental note of it.

merkwürdig strange, curious, remarkable, noteworthy [die Merkwürdigkeit notable thing]
Ich finde sein Benehmen höchst merkwürdig.

***messen,** mißt, maß, gemessen measure [die Messung measurement]
Messen Sie mal, wie lang der Tisch ist.

das **Messer, –s, —, knife

die **Miene,** –n (*Fr. mine*) = der Gesichtsausdruck (facial expression) mien, air, countenance
Seine bittere Miene sagte nichts Gutes.
Er macht keine Miene (= er denkt nicht daran) aufzustehen.

die **Miete,** –n rent, hire [der Mieter tenant, lodger]
Er wohnt zur Miete. He is a lodger, a tenant.

mieten (*cog.* meed = pay) rent [vermieten (an + *acc.*) rent to];
Zimmer zu vermieten rooms to let
Wir haben uns eine neue Wohnung gemietet.

*die **Milch** (melken) milk

mild mild, gentle [mildern soothe, mitigate]

minder = weniger less, lesser, inferior [die Minderheit minority; G. die Mehrheit majority; mindern, vermindern lessen; mindestens at least]
Du bist nicht minder schuld daran als ich.

die **Minute,** –n minute [der Minutenzeiger minute hand]; auf die Minute to the minute

***mischen** mix, mingle; shuffle (cards) [die Mischung mixture; alloy; vermischt mixed]; sich unter das Volk mischen; die Karten mischen; sich in fremde Angelegenheiten mischen meddle with other people's affairs; sich ins Gespräch mischen join in *or* "butt" into the conversation

mißbrauchen abuse, misuse [der Mißbrauch abuse]
Er hat meine Güte mißbraucht.

mißdeuten = falsch deuten misinterpret, misconstrue

mißfallen, mißfällt, mißfiel, mißfallen displease; G. gefallen please
Das Benehmen des Schülers hat dem Lehrer mißfallen.

mißglücken (s.) (Glück) fail, be unsuccessful
Das Unternehmen ist ihm mißglückt.

mißhandeln ill-treat, maltreat, abuse
Der Gefangene wurde von der Polizei mißhandelt.

mißlingen, mißlang, mißlungen (s.) fail, miscarry; be unsuccessful; G. gelingen succeed (*with* sein)
Was er auch unternahm, es mißlang ihm alles.

das **Mißtrauen,** –s distrust
Mißtrauen zerstört die Freundschaft.

das **Mißverständnis,** –(ss)es, –(ss)e (mißverstehen) misunderstanding

**mit (*dat.*) with, along
Du kannst mit (gehen *is understood*), wenn du willst. You may come along if you want to.
Er hört (sieht) das mit an. He is a witness to that.
Er kann es nicht mitansehen. He cannot endure (the sight of) it.

der **Mitarbeiter,** –s, —, co-worker, collaborator, contributor
Er ist Mitarbeiter an mehreren Zeitungen und Zeitschriften.

der **Mitbürger,** –s, —, fellow-citizen

miteinander = zusammen together

das **Mitglied,** –s, –er member of a society, club, etc.

das **Mitleid,** –s (mit=leiden) compassion, pity, sympathy
Er verdient unser Mitleid nicht.

mit=machen take part in, join in with
Ich kann die Reise unmöglich mitmachen.

der **Mittag, –s, –e midday, noon; am Mittag at noon; zu Mittag essen eat lunch
Um zwölf Uhr ist es Mittag oder Mitternacht.

die **Mitte, –n middle, center

mit=teilen communicate; inform, notify [die Mitteilung communication]
Das hat man uns noch nicht mitgeteilt.

das **Mittel,** –s, —, means, remedy [mittels, mittelst by means of]
Meine Mittel erlauben mir nicht, ein Auto zu kaufen.
Gegen diese Krankheit gibt es kein Mittel.

der **Mittelpunkt,** –s, –e center; der Mittelpunkt der Gesellschaft, des Gesprächs usw.

mitten, inmitten (Mitte) amidst, in the midst of; mitten am Tage in broad daylight; mitten in der Nacht in the depth of night

die **Mitternacht,** ⸗e midnight

mittler (Mitte) medium, central, average, mean; von mittlerem Alter middle-aged
Er ist von mittlerer Größe (medium height).

*der **Mittwoch,** –s, –e Wednesday

mit=wirken co-operate, collaborate, take part
Er wird in diesem Theaterstück mitwirken.

das **Möbel**, –s, — = das Hausgerät piece of furniture, furniture

die **Mode**, –n (*Lat. modus; Fr. mode*) fashion, style, vogue [altmodisch old-fashioned; neumodisch modern]; sich nach der Mode kleiden dress according to fashion
Das ist eine Sache der Mode (a matter of fashion).

***mögen**, mag, mochte, gemocht oder mögen = gern haben like, may; wish to; ich möchte I should like to; ich möchte gerne I should like very much; ich möchte lieber I should prefer *or* I'd rather; sie mögen noch so reich sein . . . however rich they may be . . .
Ich mag keine Suppe. I don't like soup.
Das mag schon sein. That may be.

***möglich** possible [möglicherweise possibly; die Möglichkeit possibility]; möglichst schnell as fast as possible
Es war mir unmöglich, dich zu besuchen.

der **Monat, –s, –e month [monatlich monthly]

der **Mond, –es, –e moon [der Mondschein moonlight]

der **Montag, –s, –e Monday

*der **Mord**, –es, –e murder [morden, ermorden murder, assassinate; der Mörder murderer; der Selbstmord suicide]

***morgen** tomorrow; morgens in the morning; morgen abend tomorrow night; morgen früh early tomorrow morning

der **Morgen, –s, —, morning; am Morgen = morgens in the morning; eines Morgens one *or* some morning

****müde** tired, weary [die Müdigkeit fatigue]
Ich bin es müde, immer dasselbe zu hören. I am tired (*or* sick) of always hearing the same thing.

die **Mühe**, –n effort, painstaking; pains, trouble [mühsam painstaking, toilsome]
Er gibt sich große Mühe. He takes great pains.

*die **Mühle**, –n mill (mahlen) [die Wassermühle; die Windmühle; die Kaffeemühle]
Das ist Wasser auf seine Mühle. That is right down his alley (*or* right in his line).

der **Müller**, –s, —, miller
Der Müller mahlt das Korn; der Maler malt Bilder.

der **Mund, –es, –e mouth [mündlich oral, by way of mouth]
Er hält den Mund. He is silent.

munter lively; awake [die Munterkeit liveliness]
Die Kinder waren die ganze Zeit sehr munter.
Schläfst du schon oder bist du noch munter?

murmeln murmur, babble
Er murmelt etwas vor sich hin (to himself).

*die **Musik** music [musikalisch musical; der Musikant musician; fiddler; der Musiker musician]

die **Muße** leisure time

**müssen, muß, mußte, gemußt oder müssen be compelled, must, have to
Er mußte den ganzen Tag arbeiten.
Gehst du heute in die Schule? Ja, ich muß.

müßig (Muße) idle, leisurely [die Müßigkeit idleness]
Manche Menschen sind nie müßig (= haben nie Muße = sind immer beschäftigt).

das **Muster**, –s, — = das Vorbild model, pattern, example
Berühmte Männer können uns als Muster dienen.

*der **Mut**, –es (*cog.* mood) courage [mutig courageous]
Zu jedem Unternehmen gehört Mut. Every enterprise demands courage.
Es ist (wird) ihm schlecht, weh usw. zumute. He feels (begins to feel) bad, melancholy, etc.

die **Mutter, ⁻, mother [mütterlich motherly, maternal]

die **Mütze**, –n = die Kappe cap

N

na (*exclamation*) well!
Na, wie oft soll ich dir die Sache erklären?

****nach** (*dat.*) after; to; according to; toward; nach und nach = allmählich by and by, gradually; nach wie vor now as before
Nach dem Abendessen gehe ich spazieren.

nach=ahmen imitate, copy
Er ahmte die Stimmen der Vögel sehr geschickt nach.

*der **Nachbar**, –n, –n neighbor [nachbarlich neighborly; die Nachbarschaft neighborhood]

****nachdem** (*conj.*) after
Nachdem ich gegessen hatte, ging ich spazieren.

nach=denken (a, a) consider, turn over in one's mind [nachdenklich pensive. reflecting]
Haben Sie schon darüber nachgedacht?

nach=folgen (s.) follow (up); succeed (in office) [der Nachfolger successor]
Gehen Sie nur voran, wir folgen nach.

nach=geben (i, a, e) give in, yield
Er quälte (plagued) mich solange, bis ich endlich nachgab.

nachher = später afterwards
Ich spreche mit Ihnen nachher darüber.

nach=lassen (ä, ie, a) leave behind; cease, subside
Der Regen läßt allmählich nach.

der **Nachmittag,** –s, –e afternoon; G. der Vormittag forenoon; am Nachmittag(e) = nachmittags in the afternoon

die **Nachricht,** –en news, information, report
Wer hat diese traurige Nachricht gebracht?

nächst (nah) nearest, next, coming; der allernächste Weg the nearest (shortest) route; bei nächster Gelegenheit at the first opportunity
Er steht mir am nächsten. He is my nearest relative *or* closest friend.

*die **Nacht,** ⸗e night [nächtlich nightly; nachts at night]; bis spät in die Nacht hinein late into the night

der **Nachteil,** –s, –e disadvantage; G. Vorteil advantage [nachteilig disadvantageous]

die **Nachtigall,** –en nightingale [der Nachtigallenschlag song of the nightingale]
Die Nachtigall schlägt (sings), die Lerche trillert (warbles).

nach=weisen (ie, ie) = beweisen prove, establish [der Nachweis proof, record]
Man kann ihm nicht nachweisen, daß er den Diebstahl begangen hat.

der **Nacken,** –s, —, neck, nape
Er liegt (oder sitzt) mir schon seit langem auf dem Nacken. He has been on my neck *or* at my heels (been pestering me) for a long time.

nackt = ohne Kleidung, unbekleidet naked, bare

die **Nadel,** –n (nähen) needle
Der Tannenbaum hat keine Blätter sondern Nadeln.
Der Schneider näht mit Nadel und Zwirn.

der **Nagel,** –s, ⸗, nail; den Nagel auf den Kopf treffen hit the nail on the head; sich die Nägel putzen polish *or* clean one's nails

***nah,** näher, nächst = nicht weit near, close; G. fern far (away) [nahe near-by; Näheres particulars]; nah an die Hundert nearly a hundred; ganz nah aneinander close together
Ich war nah daran nachzugeben. I was about to yield *or* give in.

die **Nähe** (nah) nearness, proximity; G. die Ferne distance; aus nächster Nähe at close quarters
Er wohnt ganz in der Nähe (close by).

nähen sew [die Naht seam, suture]
Die Näherin (seamstress) näht auf der Nähmaschine.

sich **nähern** (nah) = näher kommen approach
Der Bettler näherte sich mir und bat um eine kleine Gabe.

nähren, ernähren nourish; nurse [die Nahrung nourishment, food; das Nahrungsmittel victuals, provisions]
Ein guter Boden (soil) nährt die Pflanzen (= gibt ihnen Nahrung).
Seine Familie ist zu zahlreich (numerous); er kann sie nicht ernähren.

der **Name(n), –ns, –n (nennen) name [namentlich especially; namhaft famous]

nämlich the same, identical; namely, to wit
Das ist der nämliche Herr, mit dem ich schon gestern gesprochen habe.
Ich habe nur eine Sorge, nämlich diese Arbeit zu beenden.

*der **Narr,** –en, –en = der Tor fool [närrisch foolish, silly]
Sei doch kein Narr! Do not be a fool!

die **Nase, –n nose; sich die Nase putzen blow one's nose; über etwas die Nase rümpfen turn up one's nose at something

naß, nässer, nässest wet, moist, humid; G. trocken dry [die Nässe wetness, humidity]

*die **Natur,** –en nature; disposition; nach der Natur zeichnen draw from nature *or* life
Sie ist von Natur (by nature) sehr schüchtern.

natürlich (Natur) natural; of course
Seine Handlung ist ganz natürlich.
Er weiß natürlich nichts davon. He knows, of course, nothing about it.

die **Naturwissenschaft,** –en natural science

*der **Nebel,** –s, —, fog, mist; nebula [neb(e)lig, neb(e)licht foggy]
Ein dichter Nebel lag über Feld und Wald.

****neben** (*dat. or acc.*) beside, next to [nebenan close by]
Der Kutscher saß auf dem Bock (box) und neben ihm ein kleines Mädchen.
Er setzte sich neben das Mädchen.

nebenbei = nebenan close by; by the way, incidentally
Nebenbei möchte ich erwähnen, daß er ziemlich krank ist.

die **Nebensache,** –n a thing of lesser importance; G. die Hauptsache chief *or* most important thing

nebst (*dat.*) together with, including, besides; Zimmermiete nebst Beköstigung (= Kost und Wohnung) room rent including board

*der **Neffe,** –n, –n nephew

****nehmen,** nimmt, nahm, genommen take
Das nimmt sich gut (schlecht) aus. That looks well (bad).
Er nimmt es gut (übel) auf. He takes it in good part (amiss).
Er nimmt etwas zu sich. He eats something.
Er nimmt sich seiner an. He helps him, takes care of him.
Er nimmt sich das vor. He intends (resolves) to do that.

*der **Neid,** –es envy [neidisch (auf + *acc.*) envious]
Er vergeht fast vor Neid (almost dying with envy), so neidisch ist er auf uns.

neigen bend; incline; bow [die Neigung tendency, inclination; affection; sich verneigen (vor + *dat.*) bow to]
Er neigt zum Studium der Mathematik.
Der Tag neigte zu Ende (= ging zu Ende).
Sie erwidert seine Neigung. She reciprocates his sentiments.

****nein** no
Wünschen Sie noch eine Tasse Tee? Nein, ich danke.

****nennen,** nannte, genannt name; call
Nennen Sie mir die Tage der Woche!
Er nannte ihn einen Dieb.

der **Nerv,** –s, –en nerve [nervös nervous; die Nervosität nervosity]
Der Mann ist nervenkrank; er sollte ein Sanatorium aufsuchen.
Er fällt mir auf die Nerven. He makes me nervous, irritates me.

*das **Nest,** –es, –er nest

nett nice, tidy, trim; kindly; ein netter Mensch, ein nettes Zimmer usw.
Das ist sehr nett von dir. That's very nice of you.

das **Netz,** –es, –e net [das Netzballspiel lawn tennis]
Fische und Schmetterlinge fängt man mit Netzen.

****neu** new; recent; G. alt old, ancient [die Neuerung innovation; die Neuigkeit novelty, news; der Neuling novice]; von neuem = aufs neue anew, afresh
Es fing von neuem (= aufs neue) an zu regnen.
Was gibt es Neues? What's the news?

die **Neugier(de)** curiosity, inquisitiveness [neugierig curious, inquisitive]
Er ist äußerst neugierig, er vergeht fast vor (almost dies with) Neugier.

die **Neuigkeit,** –en *see* neu

neulich recently, the other day made their way
Er hat mich neulich besucht.

****nicht** not [nichtig futile, void]; nicht einmal not even, not once; nicht daß ich wüßte not that I know of; nicht doch! surely not! ich auch nicht nor I; mit nichten not at all
Sie werden es nicht tun, nicht wahr? You will not do it, will you?
Ist er schon zu Hause? Noch nicht (not yet).

*die **Nichte,** –n niece

****nichts** nothing; G. alles everything; nichts als nothing but; ganz und gar nichts nothing at all; sonst nichts weiter? nothing more? nichts der Art nothing of the kind; nichts davon! not a word of that! um nichts und wieder nichts without the slightest reason
Es wurde nichts daraus. Nothing came of it.
Aus dir wird nichts. You will never amount to anything.
Es ist nichts daran. There is nothing to it.

***nicken** nod, beckon [ein=nicken nod off, fall into a drowse]; ein wenig nicken snooze, nap
Er nickte mit dem Kopfe.
Er nickte mir sehr freundlich zu.

****nie** = niemals, nimmer never; G. immer always
Das Lied werde ich nie und nimmer vergessen.

***nieder** down, low; mean, inferior [nieder=gehen, nieder=legen, nieder=setzen usw.]
Er legte sich nieder und schlief bald ein.
Nieder mit ihm!
Er lief auf und nieder (= auf und ab).

die **Niederlage,** –n (nieder=legen) storehouse; repository; defeat
Einige Berliner Fabriken haben in Dresden besondere Niederlagen.
Der Feind erlitt eine empfindliche Niederlage (suffered a grievous defeat).

sich **nieder=lassen** (ä, ie, a) sit down, alight (of birds); settle down [die Niederlassung settlement]
Der Alte hatte sich auf dem Stein niedergelassen, um sich auszuruhen.

niedrig (nieder) low, mean, base, humble; G. hoch high [die Niedrigkeit lowness, lowliness]
Das Bild hängt zu niedrig.

niemals = nie, nimmer never

****niemand** nobody, no one; G. jemand somebody, someone; niemand anders no one else
Ich habe niemanden, der mir hilft.

nimmer = nie, niemals never; G. immer, stets always [nimmermehr nevermore]
Er ist ein Nimmersatt (= never satiated; glutton).

nirgends (irgend) nowhere; G. überall everywhere
Ich kann das Buch nirgends finden.

****noch** still, yet
Schläft er noch? Is he still sleeping?

noch dazu moreover, besides
Er ist arbeitslos und noch dazu krank.

noch einen (eine, ein oder eins) one more, another
Geben Sie mir noch eine Birne usw.

noch einmal = nochmals once more, again; noch einmal so alt, groß usw. twice as old, large, etc.
Erzählen Sie mir die Geschichte noch einmal!

noch etwas something *or* anything else; was noch? what else?
Wünschen Sie sonst noch was (oder etwas)?

noch immer still
Er lebt noch immer. He is still living.

nochmals = noch einmal

noch nicht not yet
Wollen wir jetzt gehen? Nein, noch nicht.

noch nie = **noch niemals** never before

der **Nord oder Norden, –s north [nordisch Norse; nördlich northern]
Die Eskimos wohnen im fernen Norden.

*die **Not**, ⸗e want, need, distress, necessity; trouble; danger; ohne Not without cause, needlessly; zur Not at a pinch
Er leidet Not. He suffers want.
Das tut ihm Not. He needs that.

***nötig** (Not) = notwendig necessary, needed [nötigen compel; urge]
Wozu hat er so viel Geld nötig?

***notwendig** = nötig (Not) necessary [die Notwendigkeit necessity]

die **Novelle**, –n short story, novelette

*die **Nummer**, –n number; size
Welche Hausnummer haben Sie?
Welche Schuhnummer (oder Schuhgröße) tragen Sie?

****nun** now, well; wie der Mensch nun einmal ist since man is as he is
Nun können wir gehen.
Nun, was gibt es Neues? Well, what's the news?
Es ist nun einmal so im Leben. That's the way it is. Such is life.

****nur** = bloß only
Ich habe nur zwei Mark bei mir.

*die **Nuß**, ⸗(ss)e nut; keine taube Nuß wert not worth a straw (a hollow nut)
Er ißt Nüsse sehr gerne.

nützen (nutzen) be of use; make use of; G. schaden harm, damage [der Nutzen use, profit, advantage]
Was nützt mir das alles? Of what use *or* good is all that to me?

nützlich (nützen) useful; G. schädlich harmful [die Nützlichkeit usefulness]
Manche Tiere sind nützlich, andere schädlich.

O

****ob** (*conj.*) whether; als ob as though
Ich weiß nicht, ob er kommen wird.

das **Obdach**, –s shelter

****oben** upstairs; above; G. unten downstairs; below [ober upper]; von oben bis unten from head to foot *or* from top to bottom; oben auf on the top
Er wohnt oben, und wir wohnen unten.
Er geht nach oben. He goes upstairs.

die **Oberfläche**, –n (flach) surface [oberflächlich superficial]
Ich kenne ihn nur oberflächlich (only slightly).

oberhalb (*gen.*) above; beyond; G. unterhalb below
Oberhalb der Stadt auf einer Anhöhe (elevation) steht eine alte Windmühle.

***obgleich** = obwohl, obschon although
Obgleich er nichts sagte, sah ich, daß er unzufrieden war.

obig (oben) above-mentioned, former; die obigen Zeilen the above-mentioned lines; die obige Bemerkung

obschon = obgleich, obwohl

*das **Obst**, -es = die Frucht fruit
Es ist gesund, jeden Tag Obst zu essen

obwohl = obgleich, obschon

der **Ochse**, -n, -n ox

öde desolate; dull, deserted; bleak [die Öde desolation; die Einöde = die Wüste desert]; ein ödes (bleak) Haus; ein ödes (dull) Gespräch; eine öde (deserted) Gegend

****oder** (*conj.*) or

der **Ofen, -s, ⸚, oven, stove [das Ofenrohr stove pipe]; hinter dem Ofen sitzen oder hocken be a stay-at-home

offen (öffnen) open, frank; G. zu, geschlossen closed; eine offene Stelle a vacancy; opening; ein offener Kopf a clear head, clever man; offen gestanden speaking frankly

offenbar evident, apparent [offenbaren reveal; die Offenbarung revelation]; eine offenbare Lüge a downright (flat) lie

***öffentlich** (*cog.* openly) public [die Öffentlichkeit publicity; public; die öffentlichen Schulen = die Volksschulen; die öffentliche Meinung public opinion]

*der **Offizier**, -s, -e officer

****öffnen** open; G. schließen, zumachen close, shut [die Öffnung opening]

****oft** often, frequently; G. selten seldom [öfters = oftmals frequently]

der **Oheim**, -s, -e = der Onkel uncle

****ohne** (*acc.*) without; ohne zu schlafen without sleeping; ohne weiteres without more ado
Die Sache ist garnicht ohne. There is some truth *or* merit in the thing.

ohnehin anyhow; apart from that; all the same; anyway
Ich danke für die Einladung; ich wollte dich ohnehin besuchen.

die **Ohnmacht** (Macht) swoon, fainting spell; weakness [ohnmächtig weak, in a faint]
Sie fiel aus einer Ohnmacht in die andere. She fainted again and again.

das **Ohr, –es, –en ear; die Ohren spitzen prick up one's ears; die Ohren steif halten keep up one's spirits; sich aufs Ohr legen go to bed; sich hinter die Ohren schreiben take note; das Fell über die Ohren ziehen fleece, cheat; die Welt um die Ohren schlagen see a good deal of the world; ganz Ohr sein be all attention, listen attentively

das **Öl,** –es, –e oil

der **Onkel, –s, — = der Oheim

die **Oper,** –n opera
Richard Wagner hat viele Opern geschrieben.

das **Opfer,** –s, —, sacrifice; victim [opfern sacrifice]
Sie werden das Opfer wohl bringen müssen (make that sacrifice).

ordentlich (Ordnung) orderly, proper; decent; regular
Mach(e) deine Arbeit ordentlich!

ordnen (Ordnung) put in order
Die Bücher in dieser Bibliothek sollten besser geordnet werden.

die **Ordnung,** –en order, arrangement
Ist alles in Ordnung? Nein, es liegt noch manches unordentlich (in disorder) herum.
Bringen Sie es in Ordnung.

*der **Ort,** –es, –e oder ⸗er = der Platz, die Stelle place, hamlet; village [örtlich local; die Ortschaft locality]; an Ort und Stelle sein be on the spot
Wir haben zwölf Jahre in dem Ort(e) gewohnt.

der **Ost oder Osten, –s east [östlich eastern; östlich von east of; (das) Österreich = das Reich im Osten Austria]

Ostern (*pl.*) Easter festival, Easter time; zu Ostern, zu Weihnachten at Easter time, at Christmas
Ostern fällt dieses Jahr sehr früh (comes at a very early date).

der **Ozean,** –s, –e = das Meer, die See ocean

P

*das **Paar,** –es, –e pair, couple
Der Mann und seine Frau sind ein Ehepaar (married couple).
Ich habe mir ein Paar Handschuhe gekauft.

ein **paar = einige a couple, a few; vor ein paar Tagen a few days ago
Es waren nur ein paar Leute in der Kirche.

packen pack; seize [das Päckchen oder Paket parcel, package]
Haben Sie Ihren Koffer schon gepackt?
Er packte den Dieb am Kragen.

der **Palast,** –s, ⸗e = das Schloß palace, castle

die **Palme,** –n = der Palmbaum palm tree

das **Papier, –s, –e paper; *pl.* credentials [der Papierkorb wastebasket]
Haben Sie Ihre Papiere bei sich?

der **Park**, –es, –e oder –s park

die **Partei**, –en (*Fr. partie* = part) party, faction; side; die demokratische, republikanische, national-sozialistische usw. Partei; für jemand Partei nehmen oder ergreifen take someone's part

die **Partie**, –n excursion, picnic; game; match *or* marriage; eine Partie spielen play a game (of whist, tennis, etc.); eine gute Partie machen make an advantageous marriage

passen fit; suit; pass (at cards); be convenient
Der Rock paßt ihm nicht.
Die Sache paßt mir nicht. This matter does not suit me.
Würde es Ihnen passen, wenn ich Sie heute abend besuchte?

passieren (s.) = geschehen happen, occur; pass by
Wann ist das Unglück passiert?

der **Pastor**, –s, –en = der Prediger, der Pfarrer (*Lat. pastor* = shepherd) clergyman, parson

die **Pause**, –n (*Fr. pause*) pause, intermission
Eine Pause trat ein. There ensued a pause

peinlich = schmerzlich; sehr genau embarrassing; very careful, painstaking [die Pein pain, trouble, torment; peinigen to torment, harass]; eine peinliche Frage stellen put an embarrassing question; eine Sache peinlich durchführen carry out a matter painstakingly

die **Pension**, –en (pãsĭo:n') pension; room and board; boarding house
Als wir in Berlin waren, wohnten wir in einer Pension.

die **Perle**, –n pearl; mit Perlen besetzt trimmed *or* studded with pearls

die **Person, –en person [persönlich personal; die Persönlichkeit personality]
Hier ist noch Platz für zwei Personen.

der **Pfad**, –es, –e path

der **Pfand**, –es, ⸗er (*cog.* pawn) pledge, security, forfeit [pfänden attach, seize (legally), pawn; das Pfänderspiel game of forfeits]
Da er nicht bezahlen konnte, mußte er seinen Koffer als Pfand hinterlassen.

die **Pfanne**, –n pan [der Pfannkuchen pancake, fritter]
Pfannkuchen werden in der Pfanne gebraten.

der **Pfarrer**, –s, — = der Pastor, der Prediger clergyman, parson

der **Pfeffer**, –s pepper

die **Pfeife**, –n (pfeifen) pipe; whistle; fife

pfeifen, pfiff, gepfiffen whistle
Hier wird nicht gepfiffen! No whistling here!
Ich pfeife darauf. I don't care one whit for it.

der **Pfeil**, –es, –e (*cog.* pile) arrow [pfeilgeschwind swift as an arrow]; wie ein Pfeil dahinschießen (dart)
Der Pfeil traf ihn mitten ins Herz.

****der Pfennig**, -s, -e penny (*German copper coin worth about* $\frac{2}{5}$ *cent*)
Die deutsche Mark hat hundert Pfennige.

****das Pferd**, -es, -e horse; zu Pferde on horseback, to horse

der **Pfiff**, -es, -e (pfeifen) whistle

*die **Pflanze**, -n plant [pflanzen plant; die Pflanzung plantation]; eine nette Pflanze (*ironical*) a nice character, a pickle
Manche Pflanzen gedeihen nur in einem warmen Klima.

die **Pflaume**, -n plum

pflegen (*cog.* play) take care; foster; nurse; cultivate; be accustomed to [die Pflege care, nursing, fostering, cultivation; der Pflegevater, die Pflegemutter foster father, foster mother]
Die Krankenpflegerin (nurse) pflegt den Kranken, denn er braucht Pflege.
Was pflegen Sie Sonntags zu tun? What do you usually do on Sundays?

*die **Pflicht**, -en (*cog.* plight) duty, obligation
Tu(e) (oder erfülle) deine Pflicht! Do (*or* fulfil) your duty!

pflügen plow [der Pflug plow; der Pflüger plowman]
Der Landmann pflügt das Feld.

die **Pforte**, -n (*Lat. porta; Eng.* portal) gate
Die Gartenpforte stand offen.

das **Pfund** -es, -e (*Lat. pondus* = weight) pound
Wie viel Pfund wiegt diese fette Gans?

die **Photographie**, -n photograph, photography [der Photograph photographer; photographieren photograph]

die **Pistole**, -n pistol; auf Pistolen fordern challenge to a duel with pistols; jemandem die Pistole auf die Brust setzen drive someone into a corner, threaten someone

plagen plague, bother, torment; pester [die Plage plague, bother]
Viele Leute müssen sich im Leben redlich plagen (drudge).

der **Plan**, -es, ⸗e [planen to plan]
Ich konnte meinen Plan leider nicht ausführen.

der **Platz, -es, ⸗e (*Fr. place*) place, seat; jemandem einen Platz anweisen assign a seat to someone
Auf diesem Marktplatz stand früher ein Denkmal.
Nehmen Sie, bitte, Platz. Please have a chair *or* seat.

plaudern gossip, chat [die Plauderei chat; die Plaudertasche chatterbox]
Meine Mutter plaudert gern mit der Nachbarin; sie plaudert aber nichts aus (does not give anything away).

***plötzlich** = auf einmal suddenly

die **Polizei** police [polizeilich (of *or* by the) police]
Er steht unter der Aufsicht der Polizei (= polizeilicher Aufsicht).

*die **Post** post, mail [das Postamt post office; die Postkarte post card]
Ich muß diesen Brief auf die Post bringen (mail the letter).
Ich schicke dir das Buch mit der Post zu (by mail).

die **Pracht** (*cog.* bright) splendor, pomp [prächtig, prachtvoll = herrlich, wundervoll splendid, magnificent]
Die Bäume standen in voller Frühlingspracht.

prägen stamp, coin [das Gepräge impression; stamp, coinage]; ins Gedächtnis prägen oder einprägen impress on the memory, memorize
Die Regierung läßt von Zeit zu Zeit neue Münzen prägen.

*praktisch practical
Praktisch bedeutet so viel wie nützlich, brauchbar und verständig.

der **Präsident**, –en, –en = der Vorsitzer president
An der Spitze einer Republik steht ein Präsident.

der **Prediger**, –s, —, preacher [predigen preach; die Predigt sermon]
Der Prediger predigt jeden Sonntag.

*der **Preis**, –es, –e price; prize; um keinen Preis under no condition, for no money; um jeden Preis at any price; by all means
Er erhielt den ersten Preis.

preis=geben (i, a, e) abandon; expose; dem Gelächter preisgeben (expose); alles preisgeben (sacrifice); den Winden und Wellen preisgegeben (at the mercy of)
Er gibt es (ihn) preis. He abandons it (him).

preisen, pries, gepriesen = loben praise, commend; G. tadeln censure, find fault
Seine Tat wurde hoch gepriesen.

die **Presse**, –n press
Die Preßfreiheit ist das Zeichen einer liberalen Regierung.

pressen press, compress; oppress; die Trauben, Blumen pressen; ans Herz pressen; durch ein Tuch pressen (strain)
Das preßte (drew) ihm die Tränen aus den Augen.

(das) **Preußen**, –s Prussia [der Preuße Prussian; preußisch Prussian]

der **Priester**, –s, —, priest [der Hohepriester high priest]

*der **Prinz**, –en, –en = der Fürst prince [der Kronprinz crown prince; die Prinzessin princess]

die **Probe**, –n = der Versuch trial; attempt; sample [probieren try]
Der Flieger (aviator) hat mit seinem neuen Flugzeug (airplane) einen Probeflug gemacht.
Geben Sie mir eine Probe (sample) von dem Wein.
Man stellt ihn (es) auf die Probe. They put him (it) to the test.

das **Prozent**, –s, –e per cent [der Prozentsatz percentage]; zu fünf Prozent at five per cent
Diese Bank gewährt (= gibt) zwei Prozent Zinsen.

***prüfen** (*cog.* prove) examine; probe, test [die Prüfung examination]
Wann sollen die Schüler geprüft werden? = Wann wird die Prüfung abgehalten?

der **Puls**, –es, –e pulse; pulsation; jemandem den Puls fühlen feel someone's pulse

das **Pult, –es, –e (*cog.* pulpit) desk

das **Pulver**, –s, —, powder [das Schießpulver gunpowder]
Manche Medizin wird in Pulverform verkauft.

*der **Punkt**, –es, –e point, period; item
Dieser Punkt ist von uns schon besprochen worden.
Am Ende des Satzes steht ein Punkt.
Es ist Punkt zwölf (Uhr). It is exactly twelve (o'clock).

pünktlich (Punkt) punctual [die Pünktlichkeit punctuality]
Er hat den Auftrag pünktlich ausgeführt.

putzen = glatt oder rein machen polish; adorn [der Putz finery; ornament]
Er putzt sich die Zähne, die Nägel und die Schuhe.

Q

quälen = plagen plague, torment, harass, torture, treat cruelly [die Qual torment; die Quälerei tormenting]; von Durst gequält = durstgequält tortured by thirst
Quäle mich nicht mit deinen dummen Fragen.

die **Quelle**, –n source; spring
Diese Nachricht stammt (= kommt) aus zuverlässiger Quelle (from a reliable source *or* authority).

quer across; kreuz und quer crisscross
Er wohnt uns quer gegenüber (straight across from us).

R

der **Rabe**, –n, –n raven [rabenschwarz black as a raven]

die **Rache** revenge, vengeance [(sich) rächen revenge (oneself)]
Er schwor, an dem Betrüger Rache zu nehmen.

*das **Rad**, –es, ⸗er wheel [das Zweirad bicycle]; ein Rad schlagen tumble *or* turn a cart wheel

der **Rahmen**, –s, —, frame [ein⸗rahmen frame]; in engem Rahmen within a narrow compass
Es gibt Bilderrahmen, Fensterrahmen, Stickrahmen (embroidery frame) usw.

der **Rand**, –es, ⸗er brim, rim; edge; margin; am Rande des Abgrunds on the brink (*or* verge) of a precipice
Dieser Hut hat einen breiten Rand.

der **Rang**, –es, ⸗e rank; ein Hotel ersten Ranges (first rate); erster Rang (im Theater) dress circle, first tier
Mein Onkel hat den Rang eines Hauptmanns (captain).

rasch (*cog.* rash) quick, fast
Sie gehen zu rasch, ich kann nicht mit (cannot keep up with you).

rasieren shave [das Rasiermesser razor]
Er läßt sich jeden Morgen rasieren (gets shaved).

die **Rast** rest, repose [rasten rest, repose; rastlos restless, fidgety]

*der **Rat**, –es, ⸗e oder die Ratschläge advice; council; councillor [Ratsherren aldermen, senators]; Rat halten hold council; Rat schaffen devise means
Statt Geldes gab er mir gute Ratschläge.
Er weiß keinen Rat mehr. He is at his wits' end, does not know what to do.
Er zieht ihn zu Rate. He seeks his advice.

raten, rät, riet, geraten (*cog.* read) guess; advise
Rate mal, was ich in der Hand habe.
Kannst du mir raten, was ich tun soll?

*das **Rathaus**, –es, ⸗er city hall, town hall

das **Rätsel**, –s, — (raten) riddle, charade; mystery [rätselhaft mysterious]
Er spricht in Rätseln = Was er sagt, ist nicht klar.

rauben rob; deprive [der Raub robbery, piracy; der Räuber robber]
Meine Ehre laß ich mir nicht rauben. I shall not allow myself to be robbed of my honor.

rauchen (*cog.* reek) smoke [der Rauch smoke; der Raucher smoker]

rauh = nicht glatt, roh rough, rude, raw [die Rauheit rudeness, roughness]; rauhe Behandlung (treatment); rauhe Gegend wild country; rauhe Luft raw air; rauhe Sitten coarse manners; rauhe Stimme harsh voice; rauher Wind rough air

*der **Raum**, –es, ⸗e = der Platz room; space [ein⸗räumen put in order; grant; räumen = Raum machen clear away; evacuate; der Zeitraum period of time]
Dieser Raum (= dieses Zimmer) ist zu klein für die Versammlung.

der **Rausch**, –es, ⸗e (*cog.* rush) intoxication [der Liebesrausch ecstasy of love]

rauschen rustle; murmur; das Rauschen des Bächleins murmur of the brooklet
Der Wind rauscht durch die Blätter der Bäume.

*__rechnen__ (*cog.* reckon) figure, calculate, count [berechnen charge]; rechnen lernen learn arithmetic; falsch rechnen miscalculate
Er rechnet mich zu seinen Freunden.
Der Wirt hat mir für die Mahlzeit zu viel berechnet (= angerechnet).

die **Rechnung**, -en (rechnen) bill; account
Die Rechnung stimmt oder stimmt nicht (is *or* is not correct).

***das Recht**, -es, -e right; justice [*pl.* die Rechte law]; von Rechts wegen by right; die Rechte studieren study law
Er hat ein Recht darauf oder dazu. He is entitled to it.
Das ist was Rechtes. That is something worth while. (*Often ironically:* That does not amount to much.)

****recht** right, correct; recht behalten carry the point; recht geben agree with; recht gern very willingly; schon recht all right
Er hat recht (unrecht). He is right (wrong).
Das ist mir recht. That suits me.
Das ist nicht mehr als recht und billig. That's no more than right and proper.
Wenn es Ihnen recht ist . . . If it's agreeable to you . . .
Sie sind nicht recht gescheit. You are not in your right mind.
Das geschieht ihm recht! That serves him right!
Jetzt tue ich es erst recht. Now I'll do it all the more.
Man kann es ihm nie recht machen. One can never please him
Er kann was Rechtes. He is capable of something worth while.

rechtfertigen justify, warrant, defend, vindicate [die Rechtfertigung justification]
Der Zweck rechtfertigt (oder heiligt) die Mittel (the end justifies the means), sagen manche Leute.

rechts to the right; G. links to the left

rechtschaffen = ehrlich, redlich righteous, honest [die Rechtschaffenheit righteousness]

rechtzeitig in time, opportune [die Rechtzeitigkeit timeliness, punctuality]
Wenn der Arzt rechtzeitig gekommen wäre, hätte man den Mann noch retten können.

***die Rede**, -n speech, talk [reden = sprechen; der Redner = der Sprecher]
Der Redner hielt eine lange Rede (made a long speech).
Er gibt (steht) Rede und Antwort. He gives an account of himself, defends himself.
Es ist nicht die Rede davon. It is out of the question. We are not discussing that.
Er stellt ihn zur Rede. He calls him to account, reprimands him.

redlich = rechtschaffen, ehrlich honest

***die Regel**, -n rule [regelmäßig regular]
Die grammatischen (grammar) Regeln sind oft nützlich.

regeln (Regel) regulate, settle [die Regelung settlement]
Die Sache ist geregelt. The affair is settled.

***der Regen**, -s (regnen) rain

regen stir, move; budge [die Regung stirring, motion, emotion]
Was regt sich dort im Busch?

der **Regenbogen**, -s, — oder ⸗ (biegen) rainbow

*der **Regenschirm**, –s, –e = der Schirm umbrella

regieren = herrschen govern, rule [die Regierung government]
Geld regiert die Welt.

regnen rain
Es regnet Prügel. Blows are falling fast.

reiben, rieb, gerieben rub [die Reibung friction]
Er rieb sich die Hände vor Vergnügen. He rubbed his hands for joy.

*das **Reich**, –es, –e empire; kingdom; nation; realm
Deutschland war früher ein Kaiserreich.

****reich** rich; G. arm poor [reichlich abundant]; reich an irdischen Gütern rich in earthly possessions
Er hält den Mann für reich. He thinks the man is rich.

****reichen** reach; pass; hand to; suffice, be sufficient [aus=reichen suffice, last; hinreichend sufficient]
Reichen Sie mir, bitte, die Butter.
Meine Mittel reichen nicht dazu.
Er reichte mir die Hand. He extended his hand to me (shook hands with me).

der **Reichstag**, –s, –e parliament
Die Tagungen (sessions) des Reichstags finden in Berlin statt.

der **Reichtum**, –s, ⸗er wealth, riches; G. die Armut poverty

***reif** ripe, mature [die Reife ripeness; maturity; reiflich careful]
Diese Äpfel sind unreif (= nicht reif), sie haben noch nicht die richtige Reife.

*die **Reihe**, –n row, line; rank; series; order; turn; eine ganze Reihe neuer Häuser, eine Reihe von Stühlen usw.
An wem ist die Reihe? Whose turn is it?
Jetzt komme ich an die Reihe = Die Reihe ist an mir (my turn).

****rein** clean, pure; neat; G. unrein, schmutzig dirty, unclean, impure [die Reinheit cleanliness; purity; reinigen clean, purify; reinlich clean, neat; die Reinlichkeit cleanliness, neatness]; aus reiner Bosheit out of sheer wickedness; ins Reine schreiben make a fair copy
Unser Trinkwasser ist nicht rein; es sollte gereinigt werden.

****reisen** (s.) travel [die Reise journey, trip; der Reisende traveler, traveling salesman]
Er ist auf Reisen = Er reist.

***reißen**, riß, gerissen (*cog.* write) tear [zerreißen tear up]; in Stücke reißen tear to pieces; zu Boden oder zur Erde reißen pull down; schlechte Witze reißen crack bad jokes; reißende Schmerzen racking pains
Die Geduld reißt mir. I am losing patience.
Man reißt sich um ihn. He is very much sought after.
Der Kerl ist ziemlich gerissen (pretty sly, artful, clever).

****reiten**, reitet, ritt, geritten (h. u. s.) ride (on an animal) [der Reiter rider, horseman]

Gestern kam er geritten (a-riding, *i.e.* on horseback), heute kam er zu Fuß.
Er hat ein schwarzes Pferd geritten.
Er ist nach Hause geritten.

***reizen** lure, entice, charm; provoke; irritate [der Reiz charm; reizend charming, bewitching; delightful; attractive]; ein reizendes Mädchen; eine reizende Landschaft; den Appetit reizen (whet *or* sharpen); den Gaumen reizen tickle the palate
Reizen Sie den Hund nicht, er beißt.

rennen, rannte, ist gerannt = laufen run, race [das Rennen running, race]; um die Wette rennen race for a wager; einen zu Boden rennen knock someone down (in running)

der **Rest,** –es, –e rest, remainder
Den Rest der Schuld können Sie mir später entrichten (= bezahlen).

***retten** (*cog.* rid) save, rescue [der Retter rescuer, deliverer; die Rettung rescue]
Er hat das Kind aus dem Feuer gerettet.

die **Reue** (*cog.* rue) repentance [reuen, bereuen repent, rue; reuig repentant, rueful]
Die Reue kommt oft zu spät.
Es reut mich = Ich bereue es. I regret it.

der **Rhein,** –s Rhine river [rheinisch Rhenish]

richten address; direct; adjust
Der Mann richtete das Wort an mich. The man addressed me.
Richte dich nicht nach mir. Do not go by my example.

richten judge (*cog.* right) [der Richter judge]
Richtet nicht, damit ihr nicht gerichtet werdet, steht in der Bibel.

****richtig** right, correct, accurate; G. falsch false, wrong [die Richtigkeit correctness, accuracy]; ein richtiger Amerikaner an American born and bred, a genuine American
Habe ich dich richtig verstanden?

die **Richtung,** –en (richten) direction, line, route
In welcher Richtung ist er gegangen?

***riechen,** roch, gerochen smell, scent, have odor
Hier riecht es nach (like) Rosen.

der **Riemen,** –s, —, belt, strap
Riemen werden aus Leder gemacht.

der **Riese,** –n, –n giant [riesig gigantic, immense]; eine Riesenarbeit a tremendous piece of work, a Herculean task

das **Rind,** –es, –er cattle; ox *or* cow [das Rindfleisch beef]
Der Bauer besaß eine Rinderherde.

*der **Ring,** –es, –e ring (rings = ringsum round about]

ringen, rang, gerungen wring; twist; wrestle; struggle; strive [der Ringer wrestler]; die Hände ringen (wring); mit dem Tode ringen be in the throes of death; nach etwas ringen strive for *or* after something
Die beiden Ringer rangen um den Preis.

rinnen, rann, ist geronnen run, flow, drip
Der Schweiß rann ihm von der Stirn(e).

der **Riß,** –(ss)es, –(ss)e (reißen) tear; crack [der Umriß sketch, outline]; ein Riß im Strumpf, in der Hose, in der Mauer usw.

der **Ritt,** –es, –e (reiten) ride, riding

der **Ritter,** –s, — (*cog.* rider) knight [ritterlich knightly, chivalrous; das Rittertum knighthood]; einen zum Ritter schlagen dub *or* make a person a knight

der **Rock, –es, ⸗e coat; skirt
Ein Männeranzug besteht aus Rock, Weste und Hosen.
Vor einigen Jahren trugen die Frauen sehr weite und sehr lange Röcke.

der **Roggen,** –s rye

roh raw, brutal; rare (meat) [die Rohheit brutality]; rohes Fleisch; rohe Behandlung; rohes Erz crude ore; rohe Sitten coarse manners

das **Rohr,** –es, –e tube, pipe; reed, cane [das Blaserohr pea shooter; blowpipe; das Fernrohr = das Fernglas telescope; das Glasrohr glass tube; der Rohrstock walking cane; der Rohrstuhl cane (bottomed) chair; das Zuckerrohr sugar cane]

die **Röhre,** –n tube, iron *or* lead pipe
Der Bleiarbeiter (plumber) repariert Gasröhren und Wasserröhren.

die **Rolle,** –n rôle (*cog.* roll); eine Rolle (roll) Papier; die Rolle (rôle, part) eines Schauspielers; aus der Rolle fallen forget one's part; eine große Rolle spielen play an important part, cut a big figure

der **Roman,** –s, –e (*Fr.*) novel [der Romanschreiber novelist]

die **Rose, –n rose [rosig rosy]

das **Roß,** –(ss)es, –(ss)e = das Pferd horse; steed

****rot** red [die Röte redness; rötlich reddish]; **vor Zorn rot werden** flush (grow red) with anger

die **Rübe,** –n (*Lat. rapum*) beet; turnip; carrot [weiße Rübe turnip; gelbe Rübe carrot; rote Rübe beet (root)]; wie Kraut und Rüben durcheinander in confusion, higgledy-piggledy

rück back (*in compounds only*), *e.g.* der Rückgang going back, retrogression; die Rückgabe giving back *or* returning something

*der **Rücken,** –s, — (*cog.* ridge) back
Der Rücken tut mir weh vom vielen Sitzen.

rücken (h. u. s.) = bewegen, schieben move, budge; push; draw [aus⸗

rücken move out; ein-rücken move in]; einem zu Leibe rücken attack someone, press someone hard
Rücken (h.) Sie den Stuhl an den Tisch.
Rücken (s.) Sie bitte näher. Come *or* draw closer, please.

die **Rückfahrt**, –en (fahren) return trip; G. die Hinfahrt trip to
Auf der Rückfahrt war die See äußerst stürmisch.

das **Rückgrat**, –s, –e backbone, spine

die **Rückkehr** (zurück-kehren) return
Auf der Rückkehr (= Rückfahrt, Rückreise) übernachteten wir (= blieben wir über Nacht) in Cleveland.

die **Rücksicht**, –en (sehen) consideration; regard; respect [rücksichtslos inconsiderate, reckless; rücksichtsvoll thoughtful, considerate]
Er nimmt keine Rücksicht auf mich. He pays no regard *or* attention to me, treats me without consideration.

rückwärts (*see* –**wärts**) backward; G. vorwärts forward

das **Ruder**, –s, — (*cog.* rudder) oar (das Ruderboot rowboat; rudern row]; am Ruder sein oder sitzen = das Ruder führen be at the helm of a boat *or* of affairs; ans Ruder kommen come into power *or* office

der **Ruf**, –es, –e call, shout; reputation; ein Mann von Ruf a noted *or* eminent man
Ich habe deinen Ruf nicht gehört = Ich habe dich nicht rufen hören.

****rufen**, rief, gerufen call, shout; einen wachrufen arouse a person from sleep
Du kommst wie gerufen. You are just in the nick of time.

*die **Ruhe** rest; peace; quiet [ruhen repose, rest; ruhig still, calm]; sich zur Ruhe setzen retire; in aller Ruhe very calmly; eine Arbeit ruhen lassen leave a task unfinished, cease one's labors
Laß mich in Ruhe! Leave me alone!
Er bringt ihn zur Ruhe. He quiets him.

***rühmen** = loben, preisen praise; sich rühmen boast [der Ruhm glory, fame, renown; praise]
Er rühmt sich seines Glückes. He boasts of his good luck.

***rühren** touch, stir, move [die Rührung emotion, sentiment]
Rühre nicht daran! Do not touch it!
Er war tief gerührt, als er die traurige Geschichte hörte.

die **Ruine**, –n = die Trümmer [ruinieren to ruin]
Die einstigen stolzen Schlösser am Rhein sind heute nur noch Ruinen.

****rund** round; eine Bitte rund abschlagen flatly refuse a request

russisch Russian [der Russe Russian; das Rußland Russia]

rüsten prepare; arm, equip; sich rüsten get ready, get equipped [das Gerüst scaffolding; die Rüstung armament, armor]; sich zum Kriege rüsten prepare for war; gut (aus)gerüstet well equipped

der **Saal**, –s, die Säle = die Halle (large) hall

die **Saat**, –en (säen) seed; growing crop
  Wie die Saat, so die Ernte (Sprichwort). As you sow, you shall reap.
  Der Sämann (sower) sät den Samen, woraus die Saat entspringt.

*die **Sache**, –n (*cog.* sake) thing, affair; matter [sachgemäß objective, pertinent; sachlich real, objective; sächlich neuter; der Sachverständige expert]
  Wo hast du deine (sieben) Sachen? Where are your things (baggage, clothing, etc.)?
  Das ist ja die Sache! That's just it!
  So steht die Sache. That's how the matter stands.
  Das tut nichts zur Sache. That is not to the point.
  Zur Sache! Question! Let's come to the point!

der **Sack**, –es, ⸗e sack, bag; ein Sack Mehl a bag of flour; mit Sack und Pack with bag and baggage; die Katze im Sacke kaufen buy a pig in a poke

säen sow [der Sämann sower]; Zwietracht säen sow (the seeds of) discord

der **Saft**, –es, ⸗e juice, sap [saftig juicy]; ohne Saft und Kraft without strength and savor
  Ich trinke gern Orangensaft.

**sagen say, tell [die Sage legend, myth; versagen refuse]; wie gesagt as I said before; im Vertrauen gesagt speaking confidentially
  Ich hätte bald was gesagt. I was on the point of saying something.
  Was Sie nicht sagen! Really! You don't say so!
  Sie können von Glück sagen. You may consider yourself lucky.

die **Sahne = der Rahm cream

das **Salz, –es, –e salt [das Salzfaß salt shaker; salzig salty]

der **Samen**, –s, — (säen) seed
  Der Samen fiel auf steinigen Boden (rocky soil).

*sammeln** collect, gather; accumulate [die Sammlung collection; eine Briefmarkensammlung stamp collection]

*der **Samstag**, –s, –e = der Sonnabend Saturday

samt (*dat.*) (sammeln) together with [sämtlich all; altogether]; das Pferd (mit)samt dem Reiter; samt und sonders all and sundry, jointly and severally

der **Sand**, –es sand [sandig sandy]; einem Sand in die Augen streuen throw dust into one's eyes

sanft (*cog.* soft) gentle, mild; ein sanfter Wind, ein sanftes Wort usw.

der **Sang**, –es = der Gesang (singen) song, singing, chant [der Sänger, die Sängerin singer]; der Gesang der Chöre, der Vögel usw.

satt (*cog.* sad = heavy) satiated; full; satisfied [sättigen satisfy; saturate]
Ich kann nicht mehr essen, ich bin satt.
Ich habe (oder bin) diese Arbeit satt. I am tired (*or* have enough) of this work.
Er ißt (sieht) sich satt. He eats (sees) his fill.

der Sattel, -s, -̈, saddle [satteln saddle]; aus dem Sattel heben unhorse

****der Satz, -es, -̈e** (setzen) (*cog.* set) sentence; set; leap; mit einem Satz in one leap
In der Grammatik sprechen wir von Hauptsätzen (main clauses) und Nebensätzen (dependent clauses).

sauber = rein neat, clean, fine [die Sauberkeit cleanliness, neatness; säubern clean, cleanse]; eine saubere Schrift, saubere Hände, eine saubere Arbeit usw.

***sauer** sour [die Säure acid; säuerlich sourish]

saugen, sog, gesogen suck [säugen suckle; der Säugling baby; das Säugetier mammal]
Das Kind saugt an der Mutterbrust.

die Säule, -n = der Pfeiler column, pillar

säumen (*cog.* seam) tarry, delay; to hem [der Saum seam, hem; versäumen miss]; der Saum des Kleides hem of the dress; am Saume des Waldes = am Waldessaum (edge of the woods)
Wer lange säumt, wird manches versäumen.

schade (schaden) too bad, a pity
Es ist schade darum. It's too bad about it.
Schade um ihn! It's a pity about him!
Wie schade! What a pity!

***schaden** injure, harm; G. nützen benefit [der Schaden damage, injury; schädigen, beschädigen harm, injure; damage; schädlich harmful, injurious; die Schädlichkeit harmfulness]
Das schadet nichts. That does not matter.
Was schadet es? What does it matter? Where's the harm?

***das Schaf, -es, -e** sheep [der Schäfer shepherd]

schaffen work; accomplish; procure; put; take; bring; get; einem viel zu schaffen machen cause much trouble to someone; an Ort und Stelle schaffen bring to a spot *or* place; aus dem Wege schaffen remove; Rat schaffen get counsel (*i.e.* devise ways and means)
Ich werde mir den Mann vom Halse schaffen (get off my neck, *i.e.* get rid of him).

schaffen, schuf, geschaffen create [erschaffen create]
Goethe schuf sich in seinen Werken ein ewiges Denkmal.

schallen sound, peal [der Schall sound]
Seine laute Stimme schallte durch die Halle.

sich **schämen** be ashamed [die Scham shame; modesty; schamlos = unverschämt shameless; immodest]
Er sollte (he should) sich seiner Faulheit schämen.

die **Schande** disgrace; shame [schändlich disgraceful; infamous]
Armut ist keine Schande (Sprichwort).

die **Schar,** –en band, group; eine Schar von Leuten, von Vögeln, von Schafen usw.

****scharf** (¨) sharp, keen; G. stumpf dull [die Schärfe sharpness; acuteness; schärfen sharpen, whet, point]; scharfer (biting) Wind; scharfe Zunge, Bemerkung usw.; scharf gehen walk fast; scharf hinterher sein be eager for a thing

der **Schatten,** –s, —, shadow; shade [schattig shady]
Die Bäume geben Schatten = Es ist schattig unter den Bäumen.

*der **Schatz,** –es, ¨e treasure; beloved, sweetheart [schätzbar valuable, estimable]
Der Schatzgräber (treasure hunter) gräbt nach Schätzen.
Jeder junge Mann und jedes junge Mädchen sucht sich einen Schatz (sweetheart).

schätzen (Schatz) esteem; estimate
Ich schätze den Mann sehr hoch.
Ich schätze das Haus auf zehntausend Dollars.

schaudern shudder [schauderhaft horrid, horrible]
Er schauderte, als er davon hörte.

schauen = sehen (*cog.* show) look [an=schauen look at]
Er schaute weder nach rechts noch nach links.

das **Schauspiel,** –s, –e spectacle, scene; play, performance [der Schauspieler actor; die Schauspielerin actress]
Der Aufmarsch der Truppen bot ein großartiges Schauspiel.
Das Schauspiel „Egmont" ist von Goethe.

die **Scheibe,** –n (*cog.* shive, sheave) disk; target; slice (of bread); (window)pane; das Scheibenwerfen throwing a disk; eine Scheibe Brot a slice of bread; nach der Scheibe schießen shoot at a target

***scheiden,** scheidet, schied, geschieden (h. u. s.) (*cog.* shed) take leave, part; separate, divide [die Scheidung separation; divorce]; aus dem Leben scheiden depart this life; sich scheiden lassen sue for divorce
Wir müssen jetzt scheiden (= uns trennen).

der **Schein,** –es (scheinen) shine; appearance, make-believe; certificate; bill, banknote [der Anschein appearance]; unter dem Schein der Freundschaft under the guise *or* cloak of friendship; allem Anschein nach according to all appearances; Fünfdollarscheine five-dollar bills
Er tut es nur zum Schein(e) (for appearance's sake, form's sake).
Das ist alles nur Schein (make-believe, pretense).
Der Schein trügt. Appearances deceive.

**scheinen, schien, geschienen shine; seem, appear [scheinbar apparent]
Die Sonne scheint nicht immer.
Sie scheint reich zu sein.
Das scheint nur so. It only looks like that.

scheitern (s.) wreck, fail; run aground, be stranded
Seine Versuche sind gescheitert.
Das Schiff ist an einer Klippe (cliff) gescheitert.

schelten, schilt, schalt, gescholten = schimpfen chide, scold, reprimand [die Schelte scolding]
Er schalt ihn einen Dummkopf. He called him a blockhead.

*schenken = etwas umsonst geben make a present of, present; grant
Was hat dein Vater dir zum Geburtstag geschenkt?
Ich möchte es nicht geschenkt habe. I would not have it as a gift.

der **Scherz,** –es, –e = der Spaß jest, joke, pleasantry [scherzen joke]
Ich sagte es nur zum Scherz (as a joke).

scheu shy, timid, bashful [die Scheu shyness, timidity; awe; scheuen shun, avoid; be timid, afraid]; keine Mühe scheuen spare no trouble *or* exertion; ohne die Kosten zu scheuen regardless of expense *or* cost
Dieses junge Mädchen ist sehr scheu.

**schicken (*cog.* shift) = senden send [schicklich convenient; proper]; sich in die Umstände schicken become reconciled *or* adapt oneself to circumstances; Geld, Antwort brieflich oder durch einen Boten schicken
Das schickt sich nicht. That is not proper, is not fitting.

das **Schicksal,** –s, –e = das Geschick (schicken) fate, destiny; lot
Niemand kann seinem Schicksal entgehen (escape).

*schieben, schob, geschoben shove, push [verschieben shift, postpone]; den Vorhang in die Höhe schieben raise the curtain; die Schuld auf jemanden schieben put the blame on someone; Kegel schieben play at ninepins, bowl

schief (*cog.* skew) crooked, awry, wry; slanting; G. gerade straight; in einer schiefen Lage sein be in a false position
Es geht alles schief. Everything is going wrong.

*schießen, schoß, geschossen shoot [die Schießerei incessant shooting]; nach der Scheibe schießen shoot at the target
Schießen Sie los! Fire away! Speak up! Go ahead!
Ein Gedanke schoß (flashed) mir durch den Kopf.
Das Blut schoß (rushed) ihr ins Gesicht.

**das Schiff, –es, –e ship [schiffbar navigable; schiffen navigate]

der **Schild,** –es, –e shield; das Schild, –es, –er sign(board); doorplate
In früheren Zeiten waren die Soldaten mit Speeren und Schilden bewaffnet.
Er führt etwas im Schilde. He harbors a secret design.

schildern = beschreiben describe, depict [die Schilderung description, delineation]
In glühenden Farben schilderte er die Schönheit der deutschen Landschaft.

schimmern shimmer, gleam, glitter [der Schimmer faint light; empty show; glimmer]
Der Schnee schimmerte im Mondlicht.

schimpfen, beschimpfen = schmähen, scharf tadeln scold [der Schimpf insult; disgrace]
Er hat den unartigen Jungen tüchtig ausgeschimpft. He gave the naughty youngster a good scolding.

*der **Schinken,** –s, — (*cog.* shank) ham [ein Schinkenbrötchen ham sandwich]; gekochter oder geräucherter Schinken boiled *or* smoked ham

der **Schirm,** –es, –e umbrella; screen; shade; protection [schirmen protect]
Es gibt Regenschirme (umbrellas), Sonnenschirme (parasols), Lampenschirme (lamp shades) usw.

*die **Schlacht,** –en (schlagen) battle, slaughter [der Schlächter butcher]

***schlafen,** schläft, schlief, geschlafen sleep [der Schlaf sleep; schläfrig sleepy]; sich schlafen legen go to bed
Schlafen Sie wohl! (I wish you a) good night! I hope you will sleep well!

***schlagen,** schlägt, schlug, geschlagen (*cog.* slay) strike, beat [der Schlag blow, slap, stroke; kind, sort]; auf einen Schlag = mit einem Schlage; Leute von diesem Schlage people of this sort *or* breed
Wie viel Uhr hat es geschlagen? What hour did it strike?

die **Schlange,** –n serpent, snake, viper [schlängeln coil up; meander, wind]

***schlank** slender, slim [die Schlankheit slenderness]

schlau sly, cunning, crafty [die Schlauheit slyness, craftiness; der Schlaukopf cunning fellow, a sly one]

***schlecht** (*cog.* slight) poor, bad, wicked; G. gut [die Schlechtigkeit wickedness; schlechthin simply]; nicht schlecht (= nicht wenig) überrascht not a little (= greatly) surprised
Mir ist schlecht. I feel ill.

schleichen, schlich, ist geschlichen sneak, prowl, creep [der Schleicher sneak; der Schlich = der Schleichweg secret path; trick]; sich davon schleichen steal away
Da kommt er (an)geschlichen. There he comes sneaking along.

der **Schleier,** –s, —, veil [schleierhaft mysterious; verschleiern throw a veil over, wrap in mystery]

schleppen drag, tug [die Schleppe trail; train (of a dress); das Schleppboot oder der Schleppdampfer tugboat; ein Schleppkleid dress with a train]

schleudern = werfen fling, hurl [die Schleuder sling; der Schleuderpreis ruinous price, below cost]

schleunig hasty, speedy [die Schleunigkeit speed]; auf das schleunigste in all haste
Er soll schleunigst (with utmost speed) herkommen.

der **Schlich**, –es, –e (schleichen) trick

schlicht (*cog.* slight) = einfach plain, simple [die Schlichtheit simplicity]; schlichtes (sleek) Haar; ein schlichter Menschenverstand common sense
Seine schlichte Antwort hat mir gut gefallen.

****schließen**, schloß, geschlossen (*cog.* slot) = zumachen close, shut, lock; conclude, end; G. öffnen open [schließlich finally; verschließen lock up]; einem die Tür vor der Nase schließen shut the door in one's face; sich eng aneinander schließen draw close together; in seine Arme schließen embrace; einen in sein Herz schließen take a great liking to someone; das schließt in sich . . . that comprises . . . ; Freundschaft schließen (form); einen Vertrag schließen (make); aus seinen Worten schließen (infer)

schlimm = schlecht evil, bad, sore, unpleasant; fatal; malicious; ein schlimmes Bein a sore leg
Das ist eine schlimme Geschichte (bad business).
Das Schlimmste kommt noch. The worst is yet to come.

schlingen, schlang, geschlungen sling; twine, wind; swallow [die Schlinge loop noose; verschlingen devour]; die Arme um ihn schlingen throw arms around (embrace) him; das Brot verschlingen (devour, swallow)

der **Schlittschuh**, –s, –e skate [Schlittschuh laufen to skate]

das **Schloß**, –(ss)es, ⸚(ss)er (schließen) (*cog.* slot) castle; lock
Er baut gerne Luftschlösser (castles in the air).
Das Schloß an dieser Tür ist sehr stark.

schlucken swallow, gulp (down) [der Schluck sip, gulp; verschlucken swallow]; ein Schluck Wasser, Milch usw.
Wenn einer Halsweh hat, so kann er nicht gut schlucken.

schlummern slumber [der Schlummer slumber, nap]

schlüpfen (s.) slip [schlüpfrig slippery]
Die Maus schlüpfte in das Mauseloch.

der **Schluß**, –(ss)es, ⸚(ss)e (schließen) (*cog.* slot) closing, end, finish; conclusion
Jede Geschichte hat einen Anfang und einen Schluß.
Schluß! Finished! Done! That's all!

der **Schlüssel**, –s, — (schließen) key

die **Schmach** = die Schande disgrace, insult [schmachten languish, pine for; schmächtig = schlank]

schmähen = schimpfen slander, insult [schmählich = schändlich abusive, disgraceful; verschmähen reject, scorn]
Der freche Junge schmähte den alten Mann.

schmal (*cog.* small) narrow, slender; G. breit, weit [schmälern reduce, detract from]; schmales Gesicht thin face; ein schmales Fenster, eine schmale Tür usw.; schmale Kost poor fare, short rations

***schmecken** (*cog.* smack) taste, have taste
Es schmeckt nach nichts (has no taste, doesn't taste like anything).

schmeicheln flatter [die Schmeichelei flattery; der Schmeichler flatterer]
Sie fühlte sich durch diese Bemerkung geschmeichelt.

schmeißen, schmiß, geschmissen (*cog.* smite) = werfen throw, fling; mit dem Gelde um sich schmeißen squander money

schmelzen, schmilzt, schmolz, ist geschmolzen (*cog.* smelt) = tauen melt, thaw [der Schmelz blending; bloom]; der Schmelz (blending) der Farben, der Schmelz (bloom) der Jugend
Im Frühling schmilzt der Schnee.

*der **Schmerz,** –es, –en (*cog.* smart) pain, grief [schmerzen = weh-tun; schmerzhaft, schmerzlich painful, grievous; Kopfschmerzen, Zahnschmerzen usw.]

der **Schmetterling,** –s, –e butterfly

schmieden forge; scheme [der Schmied blacksmith; die Schmiede smithy]; Pläne schmieden make plans; Ränke schmieden intrigue, plot

schmücken, aus-schmücken (*cog.* smock = garment) adorn, decorate [der Schmuck ornament, finery; schmucklos simple, plain]
Sie hat den Tisch mit Blumen geschmückt.

schmutzig (*cog.* smudge, smut) = dreckig, unrein dirty, filthy [der Schmutz dirt, filth, mud]
Bei schmutziger Arbeit werden die Hände schmutzig.

der **Schnabel,** –s, ⸗, bill, beak
Halt den Schnabel (= den Mund, das Maul)! Hold your tongue!

der **Schnee, –s (schneien) snow

****schneiden,** schneidet, schnitt, geschnitten cut; Grimassen, Gesichter schneiden make grimaces, faces
Ich habe mich in den Finger geschnitten. I cut my finger.

der **Schneider,** –s, — (schneiden) tailor; cutter, carver

schneien snow
Er ist uns ins Haus geschneit (dropped in suddenly).

****schnell** (*cog.* snell = keen) quick, fast, swift; G. langsam [die Schnelligkeit speed, velocity]

der **Schnellzug,** –(e)s, ⸗e fast train, express

der **Schnitt,** –es, –e (schneiden) cut

die **Schnur,** –en *or* ⸗e cord, string [schnüren lace, tie up]; einen am Schnürchen haben have a person under one's thumb; über die Schnur hauen overstep the line
Sie trug eine weiße Perlenschnur um den Hals.
Alles geht wie am Schnürchen. Everything runs smoothly.

**schon already; G. noch nicht not yet; schon lange for a long time, long since; schon der Gedanke even the thought, the mere idea; wenn schon, denn schon if it has to be, then let it be
Bist du schon auf? Are you up already?
Er tut es schon = Wird es schon tun. He will do it, never fear.
Das ist schon gut! That'll do! That's all right.
Das ist schon wahr! That's true enough!

**schön (*cog.* sheen) beautiful; good; das schöne Geschlecht the fair sex; eines schönen Morgens one fine morning
Schön! (*as an answer*) All right! *or* I'll do it.
Bitte schön! If you please!
Danke schön! Many thanks!
Das ist schön von dir (nice of you).

schonen (*cog.* sheen) spare [die Schonung indulgence, mercy, tree nursery]; seine Gesundheit schonen (take care of); seine Mittel schonen be economical (saving with one's means)
Der Tod schont niemanden.

die **Schönheit,** –en (schön) beauty

schöpfen draw (water); gather; take; Wasser schöpfen draw water; Hoffnung schöpfen gather hope; frische Luft schöpfen get a whiff of fresh air; Mut schöpfen take courage; Verdacht schöpfen get suspicious

die **Schöpfung,** –en (schaffen) creation; creature [der Schöpfer creator; originator; schöpferisch creative]
Die Wolkenkratzer (skyscrapers) sind eine Schöpfung amerikanischer Baumeister (= Architekten).

der **Schornstein,** –s, –e chimney (of a house)

der **Schoß,** –es, ⸗e lap; im Schoße der Zukunft on the knees of the gods *or* in the dim future
Er legt die Hände in den Schoß (= tut nichts).

der **Schrank,** –es, ⸗e case, cupboard; closet, wardrobe [der Bücherschrank, der Kleiderschrank usw.]

die **Schraube,** –n screw [schrauben to screw]; Forderungen oder Preise höher schrauben (raise, increase)
Bei ihm ist eine Schraube locker oder los. He is daft. There is something wrong with him.

***schrecken** = erschrecken frighten, scare [der Schreck, der Schrecken fright; schrecklich frightful, terrible]
Du hast ihn sehr erschreckt.
Er ist vor Schreck(en) ganz blaß geworden.

der **Schrei,** –es, –e (schreien) scream, shouting

**schreiben, schrieb, geschrieben (*cog.* scribe) write [ab=schreiben copy; der Schreiber writer, clerk; die Schreibmaschine typewriter]; schreiben an, über (*acc.*) write to, about

Wie schreibt er sich? How does he spell his name?

**schreien, schrie, geschrien = laut rufen scream, shriek, shout; cry, weep

*schreiten, schritt, ist geschritten go, step, walk, stride, pace

Er schreitet im Zimmer auf und ab. He is walking up and down the room.

Der Arzt schritt sofort zur Operation (proceeded to operate).

die **Schrift**, –en (schreiben) writing, a piece of writing (book, paper, etc.)

schriftlich (schreiben) written, in writing; G. mündlich oral

der **Schriftsteller**, –s, —, writer, author [schriftstellerisch literary]

der **Schritt**, –es, –e (schreiten) step, walk, pace

Schritt für Schritt (step by step) kam er näher.

Lauf nicht so schnell, ich kann mit dir nicht Schritt halten.

schüchtern = scheu shy, bashful, timid [die Schüchternheit bashfulness]

der **Schub**, –es, ⸚e (schieben) push, shove; einem einen Schub oder Schubs geben

der **Schuh, –es, –e shoe [der Schuhmacher oder Schuster shoemaker]

*die **Schuld**, –en debt; guilt, fault [schulden owe; der Schuldner debtor]

Das war nicht meine Schuld = Ich hatte keine Schuld an der Sache oder daran.

schuld at fault

Wer ist schuld daran? = Wessen Schuld ist es?

Er läßt sich etwas zuschulden kommen. He becomes (makes himself) guilty of a thing.

schuldig guilty; indebted, owing [die Schuldigkeit duty, obligation]

Was bin ich Ihnen schuldig? = Was schulde ich Ihnen? What do I owe you?

*die **Schule**, –n school [die höhere Schule higher *or* secondary school; die Hochschule university; schulen instruct, train; der Schüler, die Schülerin pupil]

Morgen ist keine Schule. There will be no school tomorrow.

Er ist gut geschult (well trained, educated).

*die **Schulter**, –n shoulder; einem auf die Schulter klopfen tap someone on the shoulder; die Schultern oder mit den Schultern zucken shrug one's shoulders

der **Schuß**, –(ss)es, ⸚(ss)e (schießen) shot

Er ist keinen Schuß Pulver wert (not worth a farthing).

der **Schuster**, –s, — *see* Schuh

schütteln shake; den Staub von den Füßen schütteln; den Kopf schütteln; einem die Hand schütteln shake hands with someone der **Schutz**, –es (schützen) protection, shelter

der **Schütze**, –n, –n (schießen) marksman
Der Schütze traf die Mitte der Scheibe.

schützen protect, shelter; gesetzlich geschützt legally protected, patented
Gott schütze dich! May God protect you!

****schwach** (*) weak, feeble; G. stark strong [die Schwäche weakness; infirmity; weak point; schwächen weaken; die Schwachheit weakness, frailty; schwächlich weakly]
Er war ganz schwach vor Hunger.

der **Schwager**, –s, *, brother-in-law [die Schwägerin sister-in-law]

die **Schwalbe**, –n swallow

der **Schwan**, –es, *e swan

schwanken stagger, waver; fluctuate; oscillate; hesitate [die Schwankung fluctuation]
Die Preise schwanken (fluctuate).
Er schwankte (staggered) über die Schwelle.
Er schwankte (hesitated) in seiner Entscheidung.

der **Schwanz**, –es, *e tail; brush (of a fox)

schwärmen swarm; rave; be enthusiastic over something [der Schwarm swarm (of bees); crowd (of children); der Schwärmer enthusiast; die Schwärmerei enthusiasm, ardor; schwärmerisch fanciful, enthusiastic]
Er schwärmt für diese Idee (dafür). He is enthusiastic about the idea (about it).

****schwarz** (*) (*cog.* swarthy) black; G. weiß white [schwärzen, an=schwärzen blacken; die Schwärze blackness; blackening]; alles schwarz sehen take a gloomy view of things; ins Schwarze treffen hit the bull's-eye *or* the mark

schwätzen = schwatzen chatter; gossip [der Schwätzer chatterbox; die Schwätzerei oder das Geschwätz prattling, talking at random]

schweben hover, be suspended; in Gefahr schweben be in danger; auf der Zunge schweben be on the tip of one's tongue; zwischen Leben und Tod schweben hover between life and death; eine schwebende Insel a floating island; schwebende Gärten hanging gardens
Was mir vorschwebt, ist . . . What I have in mind, is . . .

schweifen (s.) roam, ramble, stray
Er schweifte gern durch die Wälder.
Er schweift (strays) beständig vom Thema ab.

****schweigen**, schwieg, geschwiegen keep quiet, be silent [verschweigen keep secret]
Schweig mir davon! Don't refer to it! Keep still about it!

*das **Schwein**, –es, –e swine, pig, hog [das Schweinefleisch pork]

der **Schweiß**, –es (schwitzen) sweat, perspiration
Er war in Schweiß gebadet (bathed in perspiration).

die **Schweiz** Switzerland [ein Schweizer a Swiss; doorkeeper]

schwellen, schwillt, schwoll, ist geschwollen swell, bulge out
Das Herz schwoll mir vor Freude.

****schwer** heavy, difficult; G. leicht light [die Schwere heaviness, weight; severity; schwerlich hardly, scarcely]; schwere Angst great anxiety; schwere (serious) Krankheit; schweres Verbrechen heinous crime
Das kostet ein schweres Geld (good round sum).
Es fällt ihm schwer. It is difficult for him.
Er hört schwer. He is hard of hearing.

das **Schwert,** –es, –er sword

die **Schwester, –n sister

der **Schwiegersohn,** –s, ⸗e son-in-law [der Schwiegervater, die Schwiegermutter, die Schwiegertochter]

***schwierig** difficult [die Schwierigkeit difficulty]; eine schwierige (intricate, puzzling) Frage; auf Schwierigkeiten stoßen encounter difficulties

****schwimmen,** schwamm, ist oder hat geschwommen swim, float [der Schwimmer swimmer]
Ihre Augen schwammen (were bathed) in Tränen.
Er hat eine halbe Stunde geschwommen.
Er ist über den Fluß geschwommen.

der **Schwindel,** –s swindle, fraud; giddiness, dizziness [der Schwindler swindler]
Mir schwindelt der Kopf. My head swims. My brain reels.

***schwinden,** schwand, ist geschwunden disappear
Ihr schwanden die Sinne. She lost consciousness.

schwingen, schwang, geschwungen swing; das Tanzbein schwingen dance, hop; das Schwert schwingen (brandish); sich aus dem Sattel (in den Sattel) schwingen leap from (vault into) the saddle
Er schwang (mounted) sich auf sein Pferd.

schwitzen sweat, perspire

schwören, schwor, geschworen swear, take an oath
Ich könnte darauf schwören. I could swear to it.

der **Schwund,** –es (schwinden) disappearance

der **Schwung,** –es, ⸗e (schwingen) swing, verve, impetus; in Schwung bringen set going
Das hat keinen Schwung. There is no push, pep, *or* swing to it.

der **Schwur,** –es, ⸗e (schwören) = der Eid oath; einen feierlichen Schwur leisten take a solemn oath

der **See, –s, –n lake; die See, –n sea, ocean [der Bodensee Lake Constance; der Genfer See Lake Geneva]
Der Rhein fließt in die Nordsee.

die **Seefahrt,** –en (fahren) sea voyage [der Seefahrer navigator, seafaring man]

***die Seele**, –n soul [seelisch psychic]; von ganzer Seele (= von ganzem Herzen) with all my heart
Bei meiner Seele! Upon my soul!

das **Segel**, –s, —, sail [segeln to sail]

der **Segen**, –s (*Lat. signum*) blessing [segnen bless]

****sehen**, sieht, sah, gesehen see, look; davon abgesehen disregarding that, aside from that
Das sieht ihm ähnlich! That's just like him!

sich **sehnen** long for, yearn [sehnlich longing, ardent; die Sehnsucht longing, yearning]; sein sehnlichster Wunsch his most ardent wish
Im Winter sehnen wir uns nach dem Frühling (danach).

****sehr** (*cog.* sore) very; much
Bitte sehr, kommen Sie nur herein! Please come right in!
Bitte sehr! Do not mention it! You are welcome!

die **Seide** silk (*Lat. seta*) [seiden of silk, silken]

die **Seife**, –n soap

das **Seil**, –es, –e rope [der Seiltänzer tight-rope walker; die Seilbahn = die Drahtseilbahn cable railway]

****sein**, ist, war, ist gewesen be
Mir ist, als ob ich träumte. It seems to me as if I were dreaming.
Was ist dir? What is the matter with you?
Es ist ihm kalt, warm usw. He feels cold, warm, etc.
Es ist an ihm. It is his turn. It is up to him.
Es ist nichts damit. There is nothing in it. It will not do.
Es ist nichts an ihm. He is no good. There is nothing to him.
Wohlan, es sei drum! Be it so then! Done!
Wir sind (waren) unser drei. There are (were) three of us.
Ich bin es. It is I.
Was soll das sein? What is the meaning of that? What is that supposed to be?
Er ist nach Paris. He has gone to Paris.

****seit** (*dat.*) since, for; seit einiger Zeit for some time past; seit kurzem of late, lately
Seit wann ist er fort? When did he leave?

seitdem = seit jener Zeit, seither since then; since that time
Er hat uns vor zwei Jahren besucht; seitdem ist er nicht mehr bei uns gewesen.

****die Seite**, –n side; page [allseitig universal; and(r)erseits on the other hand; seitens (*gen.*) on the part of; seitwärts sideways, aside, to one side]; Scherz beiseite jesting aside, joking apart
Du bist doch auf meiner Seite, nicht wahr?
Wie viele Seiten hat das Buch?

seither = seitdem, seit der Zeit since then

***selber** = selbst self [selbiger the same; selbstisch selfish; selbstlos unselfish, altruistic]
Er tut das von selbst. He does that of his own accord.

selbständig (selbst *and* stehen) = unabhängig independent [die Selbständigkeit independence]

der **Selbstmord**, -s, -e suicide

die **Selbstsucht** (selbst *and* suchen) selfishness, egotism [selbstsüchtig selfish]

selbstverständlich (verstehen) self-evident, self-understood, goes without saying

selig happy, blissful; blessed; late [die Seligkeit bliss, happiness; salvation; unselig unfortunate, fatal]; Ihre selige Mutter your lamented mother (= your mother of blessed memory)
Er war selig, weil er verliebt (in love) war.
Gott habe ihn selig! May his soul rest in peace!

****selten** seldom; rare; G. oft [eine Seltenheit a rare thing; seltsam strange, odd]

***senden**, sandte, gesandt = schicken send [die Sendung shipment, consignment] (*also:* sendete, gesendet)

senken (*cog.* sink) lower, let down [senkrecht perpendicular; die Senkung sinking; hollow ground]; die Augen senken cast down one's eyes; gesenkten Hauptes with drooping head

der **Sessel**, -s, — (*cog.* settle) armchair; (school) bench

****setzen** set, place, put; sich setzen sit down
Jeder muß sich selber ein Ziel im Leben setzen. Each one should set his own goal in life.
Setzen Sie sich, bitte.
Er setzt alles daran. He risks everything for it.
Er setzt ihn in Angst, Unruhe, Zorn usw. He fills him with anxiety, uneasiness, anger, etc.

seufzen sob, sigh [der Seufzer sigh]

***sicher** sure, safe, secure; certain, positive; steady [die Sicherheit safety; assurance; sicherlich surely, certainly]; so sicher wie nur was as safe as a house (as can be).
Bist du ganz sicher, daß die Geschichte wahr ist?
Davor sind wir sicher. We are safe from it.
Sie sind ihres Lebens nicht sicher. Their lives are not safe (are in danger).

die **Sicht** (sehen) sight [sichtbar visible; sichtlich apparent]; in oder zur Sicht bekommen to sight; in Sicht kommen come *or* loom in sight

siedeln = (sich) an=siedeln settle [der Siedler settler; die Siedlung settlement]; sich an einem Orte ansiedeln

*der **Sieg**, –es, –e victory [besiegen conquer; siegen be victorious; der Sieger victor; siegreich victorious]
Er siegte über seinen Gegner = Er trug den Sieg davon.

die **Silbe**, –n syllable [die Silbentrennung division into syllables; einsilbig monosyllabic; taciturn]

*das **Silber**, –s silver [silbern of silver, silvery]

****singen**, sang, gesungen sing [der Sang = der Gesang singing]

***sinken**, sank, ist gesunken sink, go down, drop [versinken sink, founder]; den Kopf sinken lassen hang one's head
Er sank müde und schläfrig ins Bett.

*der **Sinn**, –es, –e mind, sense [sinnig sensible, ingenious; sinnlich sensual]
Was hast du im Sinne? What have you on your mind?
Das hat ja gar keinen Sinn. There is no sense to it at all.
Er behält es (es liegt ihm) im Sinne. He remembers it, has it in mind, intends to do it.
Das will ihm nicht in den Sinn. He cannot conceive it.

sinnen, sann, gesonnen (Sinn) think, meditate; contemplate, plan, scheme
Er sinnt auf Rache. He is planning revenge.
Ich bin gesonnen, es zu tun. I am inclined (disposed, willing) to do it.

die **Sitte**, –n = der Brauch custom, usage; manner [sittlich moral; die Sittlichkeit morality]
Das ist bei uns so Sitte. That's customary with us.

der **Sitz**, –es, –e (sitzen) seat
Er erhob sich vom Sitz. He rose from his seat.

****sitzen**, saß, gesessen sit; fit [die Sitzung session]; sitzen bleiben remain in the same class (in school); be a wallflower (at dances); remain an old maid; hinter Schloß und Riegel (bolt) sitzen be locked up (in jail); zu Gericht sitzen sit in judgment; sitzen lassen leave (in the lurch), desert
Das lasse ich nicht auf mir sitzen. I will not stand for it, will not swallow it.
Der Anzug sitzt nicht gut.
Der Hieb sitzt. The thrust has gone home.

die **Skizze**, –n = der Entwurf sketch [skizzieren to sketch]

der **Sklave**, –n, –n slave [die Sklaverei slavery]

****so** so, thus, in this manner [sodann then, thereupon; sodaß so that; soeben just now]; um so besser (um so größer, um so länger, um so früher usw.); so much the better (bigger, longer, earlier, etc.); sowieso anyhow; sowohl . . . als auch both . . . and *or* as well as; ach so! I see! so etwas! well, I never!
So etwas oder so was (such a thing) habe ich noch nie gehört.

**sobald, sobald wie, sobald als as soon as
Sobald er anfing zu sprechen, wußte ich, daß . . .

das **Sofa**, –s, –s sofa [das Sofakissen sofa pillow]

sofort = sogleich, gleich immediately, at once [sofortig immediate]

***sogar** even, in addition, besides
Er kann nicht nur singen, er kann sogar die Geige spielen.

sogenannt so-called

***sogleich** = gleich, sofort, auf der Stelle at once, immediately
Ich bin sogleich (= gleich) fertig.

der **Sohn, –es, ⸗e son

solange as long as
Solange der Kranke noch Fieber hat, soll er das Bett nicht verlassen.

****solch** (solch ein) such
Einen solchen (= solch einen) Winter haben wir noch nie erlebt.

der **Soldat, –en, –en soldier

***sollen**, soll, sollte, gesollt oder sollen shall; be obliged; be said to; ought to; wenn es regnen sollte if it should rain
Du sollst ruhig sein! You must be quiet!
Er soll reich sein. He is said to be rich.
Was soll das heißen? What does that mean?

somit = sonach, demnach, daher consequently

der **Sommer, –s, —, summer

***sonder** = besonder special, particular (*cog.* asunder) [sonderlich peculiar; der Sonderling odd person]

sonderbar queer, peculiar
Das ist doch sonderbar! That surely is queer!

***sondern** but (*after a negative*)
Nicht ich, sondern du bist schuld daran.

*der **Sonnabend**, –s, –e = der Samstag Saturday

die **Sonne, –n sun [der Sonnenaufgang sunrise; die Sonnenfinsternis eclipse of the sun; der Sonnenstrahl sunbeam; der Sonnenuntergang sunset; sonnig sunny]

*der **Sonntag**, –s, –e Sunday

sonst otherwise, (or) else; formerly [sonstig other, additional]
Sei still, sonst kann ich nichts hören.
Wünschen Sie sonst noch was (etwas)?

*die **Sorge**, –n (*cog.* sorrow) anxiety; care, worry [sorgen take care (of); die Sorglosigkeit carelessness, negligence, unconcern; sorgsam careful, solicitous]
Er macht sich Sorgen um ihn. He worries about him.
Er trägt Sorge (oder sorgt) dafür. He is taking care of that.

die Sorgfalt = die Sorgfältigkeit carefulness [sorgfältig careful, painstaking]
Er machte seine Arbeit mit der größten Sorgfalt (= äußerst sorgfältig).

die Sorte, –n sort, kind; species [sortieren sort, classify]; verschiedene Sorten Wein, Zigarren usw.

soweit = sofern so far, as far as; soweit ich in Frage komme as far as I am concerned
Soweit ist alles in Ordnung. So far everything is in order.

sowie just as, as soon as; sowieso in either *or* any case
Sowie es geschehen war, haben wir es bereut.
Er wird sowieso sein Ziel nicht erreichen.

der Spalt, –es, –e = die Spalte, –n split, crack, crevice [spalten cleave, split; die Spaltung cleavage]
Er öffnete die Tür einen kleinen Spalt (= ein klein wenig).

die Spannung, –en tension, strain [spannen stretch; hitch; spannend exciting, thrilling]
Wir folgten seiner Rede mit der größten Spannung.

sparen (*cog.* spare) save up; save (money) [spärlich sparing, scanty, scarce; sparsam saving, economical, thrifty; die Sparsamkeit thrift]
Man kann etwas sparen, wenn man sehr sparsam lebt.

der Spaß, –es, ⸗e = der Scherz joke, jest [spaßen joke, jest; spaßig funny; der Spaßmacher jester]; Spaß beiseite = Scherz beiseite joking aside
Das macht mir sehr viel Spaß. That amuses me very much.

****spät** late, tardy; G. früh early [späterhin later on; spätestens at the latest]
Er kam sehr spät nach Hause.
Wie spät ist es? What time is it?

***spazieren,** spazierte, ist spaziert stroll, walk
Er spaziert im Garten auf und ab.
Er geht spazieren. He is going for a walk.

der Spaziergang, –s, ⸗e walk, stroll [der Spaziergänger walker, promenader]
Möchten Sie einen Spaziergang machen (= spazierengehen)? Would you like to take a walk?

die Speise, –n = die Nahrung food [speisen eat and drink; feed, give to eat]
Zum Leben braucht man Speise und Trank.

der Sperling, –s, –e sparrow

sperren block, blockade [sich sperren gegen refuse, make a fuss]; den Mund (das Maul) aufsperren gape; ins Gefängnis sperren imprison, throw into jail
Der Durchgang (thoroughfare) war für das Publikum gesperrt.

der Spiegel, –s, —, mirror, looking-glass [spiegeln reflect, mirror]

das **Spiel**, –es, –e play, game
Lassen Sie mich aus dem Spiel(e)! Leave me out of it!
Es steht alles auf dem Spiel(e). Everything is at stake.

****spielen** play; gamble [der Spieler player, gambler; die Spielerei playing, trifling]

der **Spieß**, –es, –e = der Speer spear; spit (= rod)

spinnen, spann, gesponnen spin [das Spinn(en)gewebe spider web, cobweb; das Spinnrad spinning wheel]; Verrat spinnen plot treason
Die Spinnerin (female spinner) spinnt Garn.

spitz (Spitze) pointed, acute; G. stumpf blunt, dull

*die **Spitze**, –n point, tip, head [spitzen point, sharpen]; die Spitze (point) eines Messers = die Messerspitze; die Spitze (tip) eines Fingers = die Fingerspitze

spotten mock, scoff [der Spott mockery, ridicule; spöttisch mocking, ironical]
Dieser Mann pflegte (used to) über uns zu spotten.

die **Sprache**, –n (sprechen) language, tongue
Er beherrscht (= er kann) viele Sprachen. He knows (has the mastery of) many languages.
Er bringt es zur Sprache. He broaches the subject, brings it to discussion.

****sprechen**, spricht, sprach, gesprochen speak
Er will ihn sprechen. He wants to see him, have a talk with him.

sprengen = springen machen sprinkle; blast, blow up; das Gras besprengen (sprinkle, water); die Brücke in die Luft sprengen (blow up); mit dem Pferd über den Graben sprengen (dash *or* jump); die Menge auseinander sprengen (disperse)
Im Steinbruch wurde gesprengt. They were blasting in the stone quarry.

das **Sprichwort**, –s, ⸗er (sprechen) proverb

sprießen, sproß, ist gesprossen sprout, bud, germinate
Neues Leben sprießt aus den Ruinen.

****springen**, sprang, ist gesprungen spring; jump, leap; crack

der **Sproß**, –(ss)es, –(ss)e (sprießen) sprig [der Sprößling offspring]

der **Spruch**, –es, ⸗e (sprechen) saying, maxim
„Wer nichts wagt, gewinnt nichts" ist ein alter Spruch.

der **Sprung**, –es, ⸗e (springen) leap, jump; crack; leak; auf dem Sprunge sein (stehen) be on the point of leaving
Es ist nur ein Sprung (a few yards, a stone's throw) bis dahin.
Die Glocke hat einen Sprung (crack).

spüren feel, perceive, scent; track, trace [die Spur trace, track; scent; spurlos without trace]

Es ist viel kühler geworden; spürst du es?
Der Jäger spürte (followed the tracks, traced) dem Bären nach, er verlor aber die Spur.
Er kommt ihm (der Sache) auf die Spur. He traces him (the matter).

*der **Staat,** –es, –en state; pomp [staatlich state, public]; im vollen Staat in full dress; großen Staat machen make a great display, live in great style
Die Vereinigten Staaten (the United States) sind ein großes Land.

der **Stab,** –es, ⸗e staff; bar, rod; stick; wand [der Stabsarzt staff surgeon]; den Stab über einen brechen condemn a person (to death)
Der Hirt hatte einen Stab in der Hand.

die **Stadt, ⸗e (*cog.* stead = place) city, town [städtisch municipal]

der **Stahl,** –es, –e oder ⸗e steel [stählen harden; stählern steely, of steel]

*der **Stall,** –es, ⸗e (*cog.* stall) stable, barn

*der **Stamm,** –es, ⸗e (stammen) stem, trunk, stalk; race, tribe [der Stammbaum family tree, pedigree]
Der Stamm dieses Baumes (= dieser Baumstamm) hat einen Durchmesser (diameter) von sechs Fuß.

stammen = ab=stammen, entstammen, her=stammen (*cog.* stem) come; spring *or* descend from; originate from
Er stammt von guten Eltern.
Er stammt aus New York.
Wo stammt das Wort her?

der **Stand,** –es, ⸗e (stehen) (*cog.* stand) condition; position [standhaft steadfast; die Standhaftigkeit steadfastness]
Ich fragte nach dem Stand(e) seiner Gesundheit.
Ich bin imstande (außerstande) dir zu helfen. I am able (unable) to help you.
Er setzt das Haus wieder in Stand (restores).

****stark** (⸗) (*cog.* stark) strong, stout; G. schwach weak [die Stärke strength; starch]; eine starke (severe) Erkältung
Von den dreien ist er am stärksten (= der stärkste).
Das ist etwas stark! That's too much of a good thing!
Aus Stärke macht man Kleister. Paste is made of starch.

stärken = stark machen strengthen, invigorate; starch [die Stärkung strengthening]
Die Nahrung stärkt den Menschen.

starr (*cog.* stare) stiff, rigid [die Starrheit rigidity]
Er war ganz starr vor Überraschung (stupefied with surprise).

starren (starr) stare; be full of *or* stiff with
Er starrte mich hilflos an.
Die Finger starren mir vor Kälte.

****statt** = anstatt (*gen.*) instead of, in place of [die Stätte place]
Statt Geldes gab er mir einen guten Rat.

statt=finden take place
Wo findet das Fest statt?

stattlich stately, fine looking; considerable; ein stattlicher Mann; eine stattliche Zahl usw.

der **Staub**, –es dust [staubig dusty]
Es ist sehr viel Staub auf den Straßen = Die Straßen sind sehr staubig.

staunen = erstaunen be astonished [erstaunlich amazing, astonishing]
Er staunte, als ich ihm meine große Briefmarkensammlung zeigte.

***stechen**, sticht, stach, gestochen sting, prick, stab, pierce
Die Schlange sticht nicht ungereizt (unirritated) (Sprichwort).

****stecken** stick; set; put (in pocket); pin; eine Zigarre anstecken light a cigar; eine ansteckende Krankheit a contagious disease; etwas einstecken pocket something
Steck(e) das Geld in deine Tasche.
Der Dieb hat das Haus in Brand gesteckt (set fire to).
Man hat ihn ins Gefängnis gesteckt (put in prison).

****stehen**, stand, gestanden stand; fit; become
Der Anzug steht ihm nicht. The suit is not becoming to him.
Wie steht es damit (oder darum)? How about it?
Wie steht es mit ihm (oder um ihn)? How is he?
Er steht (sich) gut, schlecht. He is in good, bad, condition. He is well, badly, off.

stehlen, stiehlt, stahl, gestohlen steal

****steigen**, stieg, ist gestiegen (*cog.* sty = path) rise, climb [auf=steigen rise, mount; ein=steigen get in, embark]
Das Wasser war um zwei Fuß gestiegen.

steil steep, precipitous; sheer; ein steiler Weg oder Pfad; ein steiles Ufer; eine steile Treppe usw.

****der Stein**, –es, –e stone, rock [das Gestein rocks; steinern of stone]; zu Stein werden become petrified; über Stock und Stein at full speed, over all obstacles

die **Stelle**, –n place; position; passage (in a book); spot; an deiner Stelle in your place, if I were you
Ich konnte die Stelle nicht mehr finden.
Sei zur Stelle! Be on hand!
Ich tue es auf der Stelle. I will do it on the spot (at once).
Er schafft es zur Stelle. He produces it.

****stellen** place, put [die Stellung position, job]
Stellen Sie den Stuhl gegen die Wand.
Er stellt sich dem Gerichte usw. He appears in court, answers the summons, etc.
Er stellt sich krank (an). He pretends illness.

****sterben**, stirbt, starb, ist gestorben (*cog.* starve) die [sterblich mortal]
Er starb vor Kummer (of grief).
Woran ist er gestorben? Er starb an (+ *dat.*) . . .
Er lag im Sterben (was on the point of dying).

*der **Stern**, –es, –e star; asterisk [der Augenstern pupil]
Die Flagge (Fahne) der Vereinigten Staaten ist der Sternenbanner (star spangled banner).

*__stets__ = immer, zu allen Zeiten, fortwährend always, continually, constantly [stet steady, constant; stetig continual, constant]
Ich habe ihn stets unterstützt.

der **Stich**, –es, –e (stechen) prick; puncture; bite; sting; trick (in card game); der Stich der Biene, der Schlange usw.
Das hält Stich. That stands the test.
Er läßt ihn im Stich(e). He leaves him in the lurch.

der **Stiefel**, –s, —, boot; high shoe
Der Stiefelputzer oder Schuhputzer (shoeblack) putzt die Schuhe und Stiefel.

die **Stiefmutter**, ≃, stepmother [der Stiefbruder; die Stiefeltern; das Stiefkind; der Stiefsohn; die Stieftochter; der Stiefvater]

stiften found, establish; donate; cause [der Stift oder die Stiftung foundation; bequest; donation; der Stift pin, peg, pencil; der Stifter founder, donor]; Frieden stiften make peace; Unheil stiften breed mischief; Ehe stiften make a match (in marriage)
Der reiche Mann hat ein Waisenhaus (orphan asylum) gestiftet.

**__still__ = ruhig still, quiet, silent, calm [die Stille quiet, quietude, stillness, calm; der Stillstand stagnation, standstill]; im stillen privately, on the sly
Stille Wasser sind tief (Sprichwort).

still=schweigen (ie, ie) be silent; etwas mit Stillschweigen übergehen pass over something in silence

die **Stimme, –n voice; vote [das Stimmrecht right to vote]

stimmen be correct; vote; tune
Diese Rechnung stimmt nicht (is not correct).
Das stimmt. That is correct.
Für welchen Kandidaten haben Sie gestimmt (voted)?
Sie müssen Ihr Klavier (= das Piano) stimmen lassen; es ist ganz verstimmt (entirely out of tune).

die **Stimmung**, –en mood, humor; frame of mind; in guter, schlechter, Stimmung (Laune) in good, bad, humor

*die **Stirn(e)**, –en forehead, brow; dem Feinde (dem Sturm) die Stirne bieten face the enemy (the storm)

der **Stock**, –es, ≃e (*cog.* stock = tree trunk) stick, cane [der Stock = das Stockwerk story, floor]
Er nahm seinen Spazierstock und ging spazieren.
Wir wohnen im dritten Stock(werk).

stocken stop, falter [die Stockung standstill, stagnation]
Das Gespräch stockt. Conversation lags.
Die Nachfrage stockt. Demand (for goods) slackens.
Die Geschäfte stocken. Trade is dull.

*der **Stoff**, –es, –e (*cog.* stuff) matter; material; substance

*__stolz__ proud [der Stolz pride; stolzieren walk proudly]
Ich bin stolz darauf (of it).

der **Storch**, –es, ⸗e stork

*__stören__ (*cog.* stir) disturb; trouble [die Störung disturbance]
Darf ich Sie einen Augenblick stören?

*__stoßen__, stößt, stieß, gestoßen push; knock; blow; thrust [aus⸗stoßen push out; expel; heave; der Stoß push, thrust; knock; zu⸗stoßen happen (*of a calamity*); stab, thrust]
Er stieß den Mann von sich (pushed away).
Er stieß ihn nieder. He knocked him down.
Du mußt die Leute nicht vor den Kopf stoßen (give offense).
Der Jäger stößt ins Horn (is blowing the horn).
Er stößt auf ihn (darauf). He stumbles, comes unexpectedly, upon him (it).
Er stößt mit ihm an. They touch glasses.
Falls mir etwas zustoßen sollte ... If anything should happen to me ...
Stoß zu! Go ahead and stab!

*die **Strafe**, –n punishment; penalty, fine [strafbar punishable; be⸗strafen, strafen fine, punish]; bei schwerer Strafe under grievous penalties; mir zur Strafe to punish me; die Strafe erlassen remit the penalty, pardon

strahlen radiate, beam [der Sonnenstrahl sunbeam; der Strahl beam, ray]
Seine Augen strahlten vor Freude.

der **Strand**, –es, –e strand, shore, beach [stranden be stranded *or* wrecked; run aground]

die **Straße, –n (*Lat. strata*) street; road; strait
Die Straße ist gesperrt. The road is closed.

die **Straßenbahn**, –en street car, tramway

der **Strauch**, –es, ⸗e oder ⸗er shrub, bush

*__streben__ strive, exert oneself, endeavor [der Streber pusher, climber for a position *or* place in society]
Er strebt nach Reichtum und Ehre.

*__strecken__ stretch, extend [die Strecke stretch, distance]; die Beine von sich strecken stretch out one's legs; zu Boden strecken to fell, knock down; in gestrecktem Galopp reiten ride at full speed; alle viere von sich strecken lie sprawling on the ground, die
Er streckte sich ins Gras. He stretched out in the grass.
Er streckte die Hand aus.

*__streichen__, strich, gestrichen (*cog.* strike) stroke; strike; cancel; (s.) pass, move, roam [an⸗streichen paint; der Streich stroke, blow; trick]; Butter auf Brot streichen (spread, smear); glatt streichen smooth

Sein Name wurde von der Liste gestrichen (struck off).
Mein Vater streicht den Gartenzaun an (paints).
Hier streicht frische Luft. A fresh breeze is blowing here.
Der Wind streicht (blows) durch die Straßen.
Das Schiff streicht durch die Wellen.

*das **Streichholz**, –es, ⸗er = das Zündholz match

streifen touch (lightly); streak; roam, ramble; die Ärmel in die Höhe streifen turn up one's sleeves
Sein Blick streifte mich kaum. He hardly glanced at me.
Das Kleid streifte den Boden (trailed upon the ground).
Das streift ans Unglaubliche. That borders on the incredible.

der **Streit**, –es, –e quarrel; debate; fight; mit jemandem in Streit geraten fall out with someone; einen Streit schlichten settle a quarrel, conciliate
Der Streit nahm kein Ende. There was no end to the quarrel *or* controversy.

***streiten**, streitet, stritt, gestritten dispute, quarrel [streitig disputable, debatable; die Streitigkeit controversy]
Man streitet oft um nichts.
Darüber läßt sich streiten. That is a matter one can dispute about.

***streng** (*cog.* strong) severe, strict, rigorous, stern [die Strenge severity, rigor]; streng verfahren act with severity; streng auf etwas halten oder sehen be strict in the observance of something

streuen strew, scatter; sow; den Leuten Sand in die Augen streuen to fool people
Der Bauer streute den Samen in die Erde.

der **Strich**, –es, –e (streichen) (*cog.* strike) stroke, line, dash; stripe; einen Strich ziehen draw a line
Er hat mir einen Strich durch die Rechnung gemacht. He balked my plans.
Das geht mir gegen den Strich. That rubs me the wrong way.
Ich habe ihn auf dem Striche. I have a grudge against him.

*das **Stroh**, –es straw [die Strohwitwe grass widow]; leeres Stroh dreschen thrash empty straw, waste one's labors, beat the air

*der **Strom**, –es, ⸗e = der Fluß stream; current [strömen stream, flow; die Strömung current]; stromauf oder stromaufwärts fahren go up the river *or* stream

*der **Strumpf**, –es, ⸗e stocking, hose; Strümpfe stricken knit stockings

die **Stube**, –n (*cog.* stove) = das Zimmer room, chamber; die gute Stube parlor

das **Stück, –es, –e piece [das Grundstück piece of ground, building lot]; ein Stück Brot, Zucker usw. (piece, lump, etc.); aus freien Stücken of one's own free will; ein gutes Stück Weges a considerable distance; große Stücke auf jemanden halten hold someone in high esteem (think much of)

***studieren**, studierte, studiert study [der Student, die Studentin student; das Studium study (*e.g. of mathematics*); das Studierzimmer study]

die **Stufe**, –n step; degree; rung; auf gleicher Stufe mit . . . on a level with . . .
Diese Treppe hat zehn Stufen.

der **Stuhl, –es, ⸗e (*cog.* stool) chair, seat; jemandem den Stuhl vor die Tür setzen turn someone out, break off connections

stumm = still, schweigend dumb, mute, silent
Stumm (= ohne ein Wort zu sagen) ging er an uns vorüber.

***stumpf** (*cog.* stump) blunt, dull; obtuse (angle)
Das Gegenteil von stumpf ist spitz oder scharf.

die **Stunde, –n hour; lesson [stundenlang for hours; *similarly:* tagelang, monatelang usw.; stündlich hourly]; zur Stunde at this moment; Stunde um Stunde hour after hour; Stunden geben give lessons; Stunden nehmen take lessons
Dem Glücklichen schlägt keine Stunde (Sprichwort). The happy never think of time.

*der **Sturm**, –es, ⸗e storm, tempest; assault [stürmen rage; assault; stürmisch stormy]; Sturm blasen sound the alarm

***stürzen** (h. u. s.) (*cog.* start, startle) fall; rush; dethrone [der Sturz tumble, fall; overthrow]; den König vom Throne stürzen (dethrone)
Er stürzte in den Abgrund. He plunged into the precipice.

stützen prop, support; lean [die Stütze prop, support]; eine Forderung oder einen Anspruch auf etwas stützen base one's demand *or* claim on something
Stütze dich auf mich, du brauchst eine Stütze.

****suchen** seek, look for; try [aus⸗suchen seek out, select]; das Weite suchen run away
Wer sucht, der findet (Sprichwort).
Was hast du hier zu suchen? What business have you here?

⸗**sucht:** die Eifersucht jealousy; die Habsucht avarice, greed; die Sehnsucht longing; die Selbstsucht egotism; die Sucht mania, passion, disease

der **Süd oder Süden, –s south [südlich southern = south of]

die **Summe**, –n sum, amount

*die **Sünde**, –n sin [der Sünder, die Sünderin sinner; sündhaft, sündig sinful]

die **Suppe**, –n soup

****süß** sweet; G. bitter [die Süße sweetness; süßlich sweetish; Süßigkeiten sweets; versüßen sweeten]

T

der **Tabak**, –s tobacco

tadeln blame, rebuke, censure, criticize; G. loben praise [der Tadel blame, censure, reproof; tadellos faultless]
Er findet an allem etwas zu tadeln. He finds fault with everything.

die **Tafel**, –n (*cog.* table) blackboard, slate; tablet; (set) table [die Wandtafel blackboard]; eine Tafel Schokolade a cake *or* square of chocolate; bei Tafel at dinner; die Tafel decken lay the cloth, set the table

der **Tag, –es, –e day [alltäglich = tagtäglich daily]; am Tage = tags in the daytime; den ganzen (geschlagenen) Tag the whole (livelong) day; den Tag über during the day; eines Tages one day (*indefinite time*); in acht Tagen a week from today
Er bringt (legt) es an den Tag. He makes it known
Es kommt an den Tag. It becomes known.

das **Tagebuch**, –es, ⸗er diary, journal; ein Tagebuch führen keep a diary

tagelang = mehrere Tage for days

täglich = jeden Tag, alle Tage, alltäglich, tagtäglich

das **Tal**, –es, ⸗er dale, valley

der **Taler**, –s, —, *former German coin worth about* 75 *cents*

*die **Tanne**, –n fir tree; der Tannenbaum Christmas tree, fir tree

die **Tante, –n (*Fr.*) aunt

der **Tanz**, –es, ⸗e dance [tanzen to dance; der Tanzsaal dance hall]; zum Tanze auffordern ask to dance; das Tanzbein schwingen dance, hop

tapfer (*cog.* dapper) = voll Mut brave, valiant; G. feig cowardly [die Tapferkeit bravery, valor]
Halte dich tapfer! Don't flinch!

die **Tasche, –n pocket; satchel; bag, purse

das **Taschentuch**, –s, ⸗er handkerchief

die **Tasse, –n cup

die **Tat**, –en (tun) act, deed, feat [der Täter doer; tätig active; die Tätigkeit activity]; in der Tat indeed, in reality
Die Tat spricht lauter als Worte.

die **Tatsache**, –n fact, reality [tatsächlich actual, real]
Das ist keine Vermutung (conjecture, supposition), sondern Tatsache.

*der **Tau**, –es dew

das **Tau**, –es, –e (*cog.* tow) = das Seil rope
Ein Tau ist ein Schiffseil, ein starkes Seil.

taub deaf [betäuben deafen; die Taubheit deafness]; auf einem Ohre taub sein be deaf in one ear; tauben Ohren predigen talk to the winds, preach to deaf ears

die **Taube,** –n dove, pigeon

tauchen (h. u. s.) (*cog.* duck) dive, plunge; dip, duck [der Taucher diver]
Der Taucher tauchte in die Tiefe; erst nach langer Zeit tauchte er wieder auf.

taufen (tief) baptize, christen [die Taufe christening, baptism]
Das Kind wurde auf den Namen Johannes getauft.

taugen be of use, be good for [der Taugenichts good-for-nothing, rascal; tüchtig capable]
Es taugt (zu) nichts. It is worthless.

tauschen change, exchange, barter [der Tausch exchange; barter]
Er hat ein schweres Leben; ich möchte nicht mit ihm tauschen.

täuschen deceive [die Täuschung deception]
Wir hatten uns in der Sache getäuscht (had been deceived, had made a mistake).

der **Tee, –s tea

der **Teich,** –es, –e (*cog.* ditch, dike) = der Deich pond

der **Teil, –es, –e (*cog.* deal) part, portion, share [teils partly]; zum Teil = teils in part, partly; zum größten Teile for the most part; teils . . . teils partly . . . partly (*used as m. or n.*)
Ich wohne in einem andern Teil der Stadt (= in einem anderen Stadtteil).

teilen share, divide [die Teilung division; teilweise partly, in part]

die **Teilnahme** (teil-nehmen) participation; sympathy

teil-nehmen (i, a, o) (an + *dat.*) take part in, participate [der Teilnehmer participant]
Wir haben an dem Fest teilgenommen = Wir haben das Fest mitgemacht.

telefonieren telephone [das Telefon telephone]

der **Teller, –s, —, plate
Das Mädchen deckt den Tisch (sets the table); es stellt Teller und Tassen, Messer und Gabeln darauf.

der **Teppich,** –s, –e carpet, rug; tapestry

****teuer** dear, expensive; G. billig cheap; hoch und teuer versichern protest *or* swear solemnly
Das wird ihm teuer zu stehen kommen. That will cost him dearly (a good deal). He shall smart for it.

der **Teufel,** –s, —, devil; zum Teufel (nochmal)! the deuce!
Er ist wie vom Teufel besessen (like one possessed).

Hol dich der Teufel! May the devil take you!
Sind Sie des Teufels? Are you mad?

der **Thron**, –es, –e throne; den Thron besteigen (ascend); auf den Thron erheben enthrone; vom Throne stoßen oder stürzen dethrone

****tief** deep, profound; G. flach flat; seicht shallow [die Tiefe depth; tiefäugig hollow-eyed]; tief verschuldet deeply in debt
Stille Wasser sind tief (Sprichwort).
Das läßt tief blicken. That gives one a good deal to think about.

das **Tier, –es, –e (*cog.* deer) animal, beast [tierisch beastly, bestial]; ein großes Tier a big shot *or* fellow (*slang*)

der **Tiger**, –s, —, tiger

die **Tinte, –n ink (*Lat. tincta*) [das Tintenfaß inkwell]

der **Tisch, –es, –e (*cog.* dish, disc) table [der Nachtisch dessert, a sweet; die Tischdecke = das Tischtuch tablecloth]; bei Tisch(e) at the table; nach Tisch after dinner; zum Nachtisch for dessert

der **Tischler**, –s, —, cabinet *or* furniture maker

die **Tochter, ⸚, daughter [töchterlich daughterly]

der **Tod**, –es, –e death [tödlich deadly]

toll (*cog.* dull) mad [die Tollheit madness, foolishness]; ein toller Einfall a freak idea *or* notion; das Tollste dabei the most absurd part of the matter
Er macht es zu toll. He goes too far.
Es ist zum Tollwerden. It is enough to drive one mad.
Es ging toll her. There were mad doings.

*der **Ton**, –es, ⸚e (tönen) sound; tone, tune
Er konnte keinen Ton von sich geben. He could not utter a sound.
Das gehört zum guten Ton. That's fashionable.

der **Ton**, –es clay [tönern (made) of clay]

tönen = ertönen sound, ring
Die Melodie ist mir unvergeßlich; noch immer tönt sie mir in den Ohren.
Auf einmal ertönte in der Ferne ein bekanntes Lied.

die **Tonne**, –n ton; barrel, cask

der **Topf**, –es, ⸚e (*cog.* top) pot, jar; alles in einen Topf werfen treat everything alike

der **Tor**, –en, –en = der Narr fool [die Torheit folly; die Törin foolish woman]

das **Tor**, –es, –e (*cog.* door) gate

töricht (Tor) = närrisch, unklug foolish, silly; G. weise, klug wise, smart
Er hat sich sehr töricht benommen.

tot (töten) dead [tötlich fatal, mortal]

****töten** = tot=schlagen kill

die **Tracht**, –en (tragen) costume, dress

*__träge__ lazy, inactive [die Trägheit = die Faulheit]

**__tragen__, trägt, trug, getragen (*cog.* draw, drag) carry, bear; yield; wear [der Träger carrier, bearer]; nach etwas Verlangen tragen have a longing for something; die Kosten tragen bear the expense
Er trägt sich damit (herum). He has it on his mind.

die **Träne**, –n tear; Tränen vergießen shed tears; zu Tränen gerührt moved to tears

der **Trank**, –es, ⸗e (trinken) = der Trunk = das Getränk drink

die **Traube**, –n grape; cluster of grapes; Trauben pflücken (oder lesen) gather grapes; die Traubenlese harvesting of grapes

*__trauen__ trust; marry; G. mißtrauen distrust [traulich intimate, cozy; der Trauring wedding ring; die Trauung wedding ceremony]
Er traut mir nicht = Er mißtraut mir.
Das junge Paar wurde gestern getraut (married).

*__trauern__ (*cog.* dreary) mourn, grieve [die Trauer sorrow, mourning]
Die Witwe hat um ihren Mann ein ganzes Jahr getrauert.

der **Traum**, –es, ⸗e (träumen) dream; im Reich der Träume in dreamland
Träume treffen selten ein. Dreams rarely come true.

*__träumen__ dream [der Träumer dreamer; träumerisch dreamy]
Das hat ihm geträumt. He dreamed that.
Das hätte ich mir nie träumen lassen. I should never have dreamed of such a thing.

traurig (trauern) sad [die Traurigkeit sadness]

**__treffen__, trifft, traf, getroffen meet; hit; concern; vom Blitze getroffen struck by lightning; vom Schlagen getroffen seized with apoplexy; eine treffende Bemerkung an appropriate remark; das Ziel oder die Scheibe treffen hit the goal, target, *or* mark
Ich traf den Freund (= begegnete dem Freunde) auf der Straße.
Sein Bild ist gut getroffen. It is a good likeness of him.
Wen trifft die Schuld? Whose fault is it?
Das trifft sich zu. That happens.

trefflich = vortrefflich excellent, fine

*__treiben__, trieb, getrieben (h. u. f.) drive; be doing; put in motion; press, urge; carry on, practise; sprout; drift; aufs äußerste oder auf die Spitze treiben push to the extremes; in die Enge treiben press hard, make very uncomfortable; Kurzweil treiben amuse oneself
Der Hirt treibt die Kühe auf die Weide.
Was treiben Sie (= machen Sie) den ganzen Tag?
Das Schiff ist ans Land getrieben.

*__trennen__ = scheiden separate, part; sich trennen part [die Trennung parting, separation]
Wir müssen uns trennen; die Trennung tut weh.

*die **Treppe**, –n staircase, stairs
Wir wohnen zwei Treppen hoch (two flights up).

***treten**, tritt, trat, getreten (h. u. s.) step, walk; tread; etwas mit den Füßen treten trample underfoot, treat disdainfully
Tritt leise, das Kind schläft.

***treu** true, faithful [die Treue loyalty, fidelity; treulos faithless, disloyal]; seinen Grundsätzen, seinem Vorsatz treu bleiben stick to one's principles, one's purpose; Ihr treu ergebener Yours faithfully (*closing of a letter*)

der **Trieb**, –es, –e (treiben) impulse, instinct; movement; sprout, young shoot [der Antrieb impulse, inclination]; der Trieb zum Bösen evil impulses *or* turn of mind; aus eigenem Antrieb of one's own accord

****trinken**, trank, getrunken drink [das Trinkgeld tip, gratuity]
Was trinken Sie lieber (what do you prefer to drink), Tee, Kaffee oder Milch?

der **Tritt**, –es, –e (treten) step; kick
Er folgt mir auf Schritt und Tritt (every step).

***trocknen** to dry [trocken dry; die Trockenheit dryness]

der **Tropfen**, –s, —, drop [tropfen drip, trickle]

***trösten** console [der Trost consolation; trostlos = untröstlich disconsolate]

***trotz** (*gen. or dat.*) in spite of [trotzen defy; trotzig defiant, obstinate, sullen, spiteful]; trotz alledem for all that, in spite of all
Trotz des Regens sind wir spazieren gegangen.

der **Trotz**, –es spite, obstinacy; Trotz bieten bid defiance
Er tat es ihm zum Trotze (to spite him).

trotzdem nevertheless, in spite of it
Ich bat ihn es nicht zu tun, und trotzdem hat er es getan.

trüb gloomy, dull [betrübt sorrowful; trüben trouble; make muddy]; trübes Wetter, trübe Tage usw.
Im Trüben (in troubled waters) ist gut fischen.
Das Licht brennt trübe (dim).

trügen, trog, getrogen = betrügen deceive
Der Schein trügt. Appearances are deceiving.

die **Trümmer** (*cog.* thrum) ruins, debris; in Trümmer schlagen smash to pieces, wreck
Das Schloß liegt in Trümmern.

der **Trunk**, –es (trinken) = der Trank drink, draught [der Trunkenbold drunkard]; dem Trunk ergeben addicted to drink
Gib mir bitte einen Trunk Wasser!

das **Tuch**, –es, ⸗er (*cog.* duck = canvas) cloth; kerchief [das Halstuch, das Handtuch, das Taschentuch, das Tischtuch]

tüchtig (taugen) (*cog.* doughty) able, capable, excellent [die Tüchtigkeit excellence, capability, ability]; tüchtige Kenntnisse sound knowledge; tüchtige Mahlzeit substantial meal

Er ist durchaus tüchtig in seinem Fache. He understands his branch *or* business thoroughly.

die **Tugend,** –en virtue [tugendhaft virtuous]
Jugend hat keine Tugend (Sprichwort).

die **Tulpe,** –n tulip

****tun,** tat, getan do; act, make; put [tunlich feasible, practicable]
Er tut einen tiefen Atemzug. He takes a deep breath.
Sie hat es ihm angetan. She has bewitched him.
Er tut einen Fall (falls), einen Schrei (screams), eine Frage (asks a question), einen Gang (goes on an errand).
Er tut groß, vornehm. He puts on airs, shows off.
Er tut freundlich, schön. He cajoles.
Er tut verliebt. He acts as though he were in love.
Er tut gut (recht) daran. He acts wisely (justly) in that.
Was tut's auch? What difference does it make?
Tu (put) Geld in deine Tasche!

die **Tür, –en door; mit der Tür ins Haus fallen blurt out

der **Turm,** –es, ⸗e tower, turret [türmen pile up]

U

übel (*cog.* evil) bad, ill [das Übel evil, malady]
Das ist nicht so übel. That's not so bad.
Er ist übel daran (badly off, faring badly).

übel⸗nehmen (i, a, o) feel offended
Nehmen Sie es mir bitte nicht übel, daß ich nicht gekommen bin.

der **Übelstand,** –s, ⸗e drawback; abuse
Die Übelstände unseres gesellschaftlichen Lebens sind schwer zu beseitigen.

***üben** practise, exercise; use; drill [aus⸗üben carry out, exercise; die Übung exercise]; Geduld, Milde, Nachsicht üben exercise (*or* show) patience, clemency, leniency
Er übt auf dem Klavier (piano); er übt sich im Schwimmen.

****über** (*dat. or acc.*) over, above; across; G. unter under, below [überdies moreover]; den Tag über (tagüber) during the day; über kurz oder lang sooner or later; über und über thoroughly, very much; über alle Maßen schön exceedingly beautiful
Ich habe die Sache über. I am sick of the matter.
Er ist dir weit über. He is far above you. You are no match for him.

****überall** everywhere; G. nirgends nowhere

überaus = außerordentlich exceedingly, extremely
Ich bin dir überaus dankbar für deine Hilfe.

der **Überblick,** –s, –e survey, summary, sketch; bird's-eye view [überblicken survey]
Geben Sie uns einen kurzen Überblick über den Stand der Dinge (how matters stand).

überein=stimmen agree, be of the same opinion [die Übereinstimmung agreement]
Alle stimmen damit überein. All agree to it.

überfallen (ä, ie, a) attack suddenly; surprise; overtake [der Überfall sudden attack, surprise; inroad, raid]
Wir wurden vom Sturm überfallen (caught in a storm).
Der Schreck überfiel ihn. He was seized with terror.

überflüssig (über=fließen) superfluous, needless [der Überfluß superabundance]
Ich habe kein überflüssiges Geld; ich lebe nicht im Überfluß.

die **Übergabe**, –n (übergeben) surrender, delivery

der **Übergang**, –s, ⸗e (über=gehen) crossing; transition, change; der Übergang (transition) vom Licht zum Schatten

über=gehen (i, a) (s.) go over; übergehen (h.) overlook, leave out
Wir dachten, er sei unser Freund; er ist aber zu unseren Feinden übergegangen.
Er hat uns bei der Einladung übergangen (left out).

***überhaupt** at all, on the whole, altogether, aside from it all; überhaupt nicht not at all; wenn überhaupt if at all
Wenn es Ihnen überhaupt Ernst ist . . . If you are really serious . . .

überlassen (ä, ie, a) abandon, yield, leave (to)
Das weitere will ich Ihnen überlassen. The rest I leave to you.

überlegen think over, consider, meditate upon [die Überlegung consideration, reflection, meditation]
Ich habe mir die Sache lange überlegt. I have thought the matter over for a long time.

die **Überlegenheit** superiority [überlegen superior]
Er ist uns in diesem Fache überlegen; seine Überlegenheit kann niemand bestreiten (dispute).

überliefern surrender; deliver; transmit; hand down [die Überlieferung tradition]; die Waffen überliefern (surrender *or* deliver); eine Legende überliefern (transmit); der Nachwelt überliefern hand down to posterity

die **Übermacht** superior power, force, *or* number
Die Feinde waren in Übermacht; wir mußten uns ergeben.

übermorgen day after tomorrow

der **Übermut**, –s frivolity, arrogance; frolicsomeness [übermütig arrogant; frivolous, cocky]
Voll Übermut sprang er auf den Tisch und hielt eine Rede.

die **Übernahme**, –n (übernehmen) taking over
Die Übernahme des Geschäftes fand am ersten Januar statt.

übernehmen (i, a, o) take over
Er übernimmt das Geschäft.

überraschen (rasch) surprise [die Überraschung surprise]
Sie haben uns ganz überrascht = Das war für uns eine gänzliche Überraschung.

überreichen hand over, present
Beim Abschied überreichte er der Dame einen Blumenstrauß.

der **Überrock**, -s, ⸗e = der Mantel overcoat

der **Überschuß**, -(ss)es, ⸗(ss)e (schießen) surplus, excess
Der Überschuß in der Kasse betrug zwei Mark und zehn Pfennig.

übersehen (ie, a, e) overlook
Solche Kleinigkeiten werden leicht übersehen (are easily overlooked).

***über=setzen** set across, take across
Er hat uns in einem kleinen Boot übergesetzt.

***übersetzen** translate [die Übersetzung translation]
Übersetzen Sie den Satz ins Englische!

die **Übersicht** (über=sehen) survey; summary [über=sichtlich clearly arranged, easy to survey]; eine kurze Übersicht a brief sketch *or* summary; eine übersichtliche Darstellung a lucid exposition

über=tragen (ä, u, a) carry *or* bear across; übertragen transfer, transmit; translate [die Übertragung transfer; translation]; jemandem eine Arbeit übertragen assign a job to someone
Sie können diese Eintrittskarte nicht auf eine andere Person übertragen.
Ich habe die Erzählung ins Deutsche übertragen (= übersetzt).

übertreffen (i, a, o) excel, exceed, surpass
Die Einnahmen übertrafen meine Erwartung.

übertreiben (ie, ie) exaggerate, overdraw [die Übertreibung oder Übertriebenheit exaggeration]
Er hat die Geschichte stark übertrieben.

überwältigen (walten) overcome, overpower
Im Nu (= im Augenblick) war der Einbrecher von der Polizei überwältigt.

überwiegen (o, o) outweigh, preponderate [überwiegend predominant]
Seine Treue und Ergebenheit überwiegen seine Fehler. His loyalty and devotion outweigh his shortcomings.

überwinden (a, u) overcome; subdue, conquer; defeat
Er hat alle Hindernisse überwunden.

überzeugen (Zeuge) convince
Ich bin fest davon überzeugt. I am firmly convinced of it.

üblich (üben) customary, usual; im üblichen Sinne (in the accepted meaning) des Wortes
Das ist bei uns nicht üblich (not customary with us).

***übrig** (über) left over, remaining, rest [übrigens for the rest; besides; moreover]; im übrigen for the rest, besides; mein übriges Geld the rest of my money

Hast du noch Geld übrig?
Es bleibt ihm nichts anderes übrig. He has no other choice.

die **Übung** (üben) exercise, practice; drill
Übung macht den Meister (Sprichwort). Practice makes perfect.

das **Ufer, –s, — = die Küste, der Strand shore, bank

die **Uhr, –en watch; clock [der Uhrmacher watchmaker]
Meine Uhr geht vor (geht nach, ist stehen geblieben). My watch is fast (is slow, has stopped).
Wie viel Uhr ist es? What time is it?
Es ist halb sechs (half past five), halb acht usw.

****um** (*acc.*) around, about; for; at (*conj.*) in order to; eins ums andere, einen Tag um den anderen, Stück um Stück, Jahr um Jahr usw. one by one, day after day, piece by piece, year after year, etc.; um die Stadt herum around the city; um so besser, mehr usw. so much the better, so much more, etc.; um Gottes Willen! for heaven's sake! um und um round about, on all sides
Binde dir das Tuch um (around) den Kopf, sonst erkältest du dich.
Um (at) diese Zeit gehen wir schlafen.
Er bittet um Arbeit. He is asking for work.
Das Jahr, die Zeit usw. ist um. The year is over, time's up, etc.
Ich muß in die Stadt (gehen oder fahren), um einiges zu besorgen. I must go to town *or* downtown in order to attend to some matters.

umarmen (Arm) = umfassen embrace
Beim Abschied umarmte die Mutter ihren Sohn und gab ihm ihren Segen.

(sich) **um=drehen** turn around, turn back [die Umdrehung rotation, revolution]
Dreh dich um! Turn around!
Ich drehe dir den Hals um! I will wring your neck!

um=fallen (ä, ie, a) (f.) fall down *or* over; tumble; zum Umfallen müde dead tired
Das kleine Kind kann noch nicht gehen, es fällt immer um.

der **Umfang**, –s (umfangen) circumference, extent [umfangreich extensive; voluminous; wide]
Der Umfang des Buches beträgt mehrere hundert Seiten.

umfassen enclose; comprise; clasp around, embrace
Das Buch umfaßt dreihundert Seiten.
Der Jüngling umfaßte (= umarmte) das Mädchen und küßte es zärtlich.

der **Umgang**, –s, ⸗e (um=gehen) going round, procession; intercourse, association [Umgangsformen manners]; ein feierlicher Umgang a solemn procession
Er hat guten (schlechten) Umgang. He keeps good (bad) company.
Sie hat wenig Umgang. She has few friends, keeps *or* sees little company.

***umgeben** (i, a, e) surround [die Umgebung surroundings, environs, milieu; those near to one, associates]; von Feinden umgeben surrounded by enemies; von Eis umgeben icebound; von Schwierigkeiten umgeben beset with difficulties; den Garten mit einem Zaun umgeben fence in the garden

die **Umgegend**, –en surrounding country, environs
Die Umgegend von New York ist sehr anziehend (attractive).

umgehen (i, a) surround; evade, elude; um=gehen (s.) go around; treat, handle; den Feind umgehen turn the enemy's flank, get into the lead; ein Gesetz umgehen evade a law
Es läßt sich nicht umgehen. It cannot be evaded *or* avoided.
Ich bin eine Meile umgegangen (went out of my way).
Er versteht nicht recht, mit Menschen umzugehen. He does not quite know how to treat people.
Er geht damit um . . . He is planning . . .

umher about, around; hither and thither [umher=gehen, umher=fliegen, umher=sitzen usw.]
Die Leute spazierten umher und warteten auf den Zug.

um=kehren (s.) turn back; (h.) turn inside out *or* upside down; overturn; invert [die Umkehr return, conversion]; das ganze Haus umkehren (turn upside down)
Kehren Sie um, ehe es zu spät ist.

der **Umriß**, –(ss)es, –(ss)e *see* Riß

sich **um=sehen** (ie, a, e) look around
Er sah sich mehrmals um, ohne mich zu bemerken.

um so mehr (um so weniger, um so besser usw.) so much the more (so much the less, so much the better, etc.)
Je mehr ich lese, um so mehr (= desto mehr, je mehr) lerne ich.

umsonst = vergebens, für nichts in vain; for nothing, free of charge
Ist meine ganze Arbeit umsonst gewesen?

der **Umstand**, –s, ⸚e (stehen) circumstances [umständlich ceremonious; awkward, roundabout]
Unter solchen Umständen konnte ich nicht anders handeln.
Bitte, ohne Umstände! Without any ceremonies, if you please!

um . . . willen for . . . sake; um Himmels willen! for heaven's sake!
Ich tue es um deinetwillen (seinetwillen, Ihretwillen). I am doing it for thy sake (his sake, your sake).

un= (*negative* = dis-, im-, in-, mis-, non-, not, un-) *e.g.* zufrieden (satisfied), unzufrieden (dissatisfied); möglich (possible), unmöglich (impossible); richtig (correct), unrichtig (incorrect); artig (well behaving), unartig (misbehaving); Sinn (sense), Unsinn (nonsense); schön (beautiful), unschön (not beautiful, ugly); freundlich (friendly), unfreundlich (unfriendly)

unaufhörlich (auf=hören) = fortwährend incessant
Der unaufhörliche Lärm der Großstadt macht die Menschen nervös.

unbedingt (bedingen to condition) unconditional, absolute; implicit
Er schenkt mir unbedingtes Vertrauen. He trusts me implicitly.

**und and [und so weiter = usw. and so forth, etc.]; an dem und dem Orte in such and such a place; und er auch nicht nor he either
Ich und Geld haben! To think that I should have money!

der **Unfall, -s, ⸗e** (fallen) accident, mishap
Der Unfall ereignete sich um Mitternacht.

ungefähr = etwa about, approximate; von ungefähr by chance, by accident
Er ist ungefähr dreißig Jahre alt.

ungeheuer = ungemein huge, enormous, monstrous [das Ungeheuer monster]
Durch günstige Spekulationen ist er ungeheuer reich geworden.

das **Unglück, -s** (Glück) misfortune [unglücklich unhappy, unfortunate]
Ein Unglück kommt selten allein (Sprichwort). It never rains but it pours = Misfortunes seldom occur singly.

ungut (gut) unkind; nicht für ungut nehmen not to take amiss
Nichts für ungut! No offense (no harm) meant!

das **Unheil, -s** (Heil) misfortune, mischief; Unheil anrichten cause mischief

die **Universität, -en** university

unmittelbar immediate, direct; unmittelbar nach der Theatervorstellung, nach meiner Abreise, vor seiner Ankunft usw.

unnütz (nutzen) useless
Ein unnütz(es) Leben ist ein früher Tod.

unten (*adv.*) below, downstairs; G. oben above, upstairs [untenan at the lower end]
Er wohnt oben, und wir wohnen unten.

unter (*dat. or acc.*) under, below; unter dieser Bedingung on this condition; unter Tränen amid tears; zu unterst undermost
Das bleibt unter uns. That is between (among) ourselves.

unterbrechen (i, a, o) interrupt [die Unterbrechung interruption]
Er wurde beim Sprechen fortwährend unterbrochen.

unterdessen = inzwischen meanwhile, in the meantime
Wir kamen zu spät an; unterdessen war der Zug abgefahren.

unterdrücken suppress [die Unterdrückung suppression]
In manchen Ländern wird die Freiheit der Presse unterdrückt.

der **Untergang, -s, ⸗e** (unter⸗gehen) downfall; ruin, destruction; sinking, shipwreck [der Sonnenuntergang sunset]

unter⸗gehen (i, a) (s.) go down, set; G. auf⸗gehen go up, rise
Im Winter geht die Sonne sehr früh unter.
Das Schiff ist untergegangen.

unterhalb (*gen.*) below; G. oberhalb above
Unterhalb des kleinen Dorfes steht eine Windmühle.

(sich) **unterhalten** (ä, ie, a) entertain, maintain, amuse; converse [die Unterhaltung entertainment, conversation]
Wir haben uns trefflich unterhalten. We had a very amusing time. We had a fine talk together.

unterlassen (ä, ie, a) omit, forbear [die Unterlassung omission, neglect]
Er hat (es) unterlassen, mich darauf aufmerksam zu machen.

unterliegen (a, e) (h. u. s.) succumb; einer Last unterliegen sink under a load
Das unterliegt keinem Zweifel. It cannot be doubted.

unternehmen (i, a, o) engage in; undertake; eine Reise unternehmen, zu viel unternehmen usw.

die **Unterredung,** –en (reden) = das Gespräch interview, conversation
Ich hatte eine lange Unterredung mit ihm.

***unterrichten** instruct; inform [der Unterricht instruction]
Seine Tochter wurde in zwei Fremdsprachen unterrichtet.
Ich bin darüber nicht unterrichtet. I know nothing about it.

unterscheiden (ie, ie) distinguish, discriminate
Die Zwillinge (twins) sind einander so ähnlich (resemble each other so closely), daß man sie voneinander nicht unterscheiden kann.

der **Unterschied,** –s, –e (unterscheiden) difference

die **Unterschrift,** –en (unterschreiben) signature
Ist diese Unterschrift echt oder gefälscht (forged)?

untersuchen investigate, examine; [die Untersuchung investigation; examination]
Wir haben die Sache gründlich untersucht.

unterstützen support [die Unterstützung relief, support]
Ich kann den Vorschlag nicht unterstützen.

die **Untertasse,** –n (Tasse) saucer

unterwegs on the way

unterwerfen (i, a, o) submit, subjugate, surrender [die Unterwerfung subjugation]
Die Besatzung (garrison) hat sich der Übermacht des Feindes unterworfen (= ergeben).

unterzeichnen (Zeichen) = unterschreiben sign, affix one's name
Der Friedensvertrag (peace treaty) wurde von allen Großmächten (great powers) unterzeichnet.

ununterbrochen (brechen) uninterrupted
Es hat Tag und Nacht ununterbrochen geregnet.

unvergleichlich (gleich) incomparable

unverhofft (hoffen) unhoped-for, unexpected
Unverhofft kommt oft (Sprichwort).

unverkennbar (kennen) unmistakable, evident; easy to recognize
Seine Handschrift war unverkennbar.

unverschämt (schämen) insolent, impudent
Sein unverschämtes Benehmen hat uns beleidigt.

der **Unwille, –ns** (wollen) unwillingness, indignation; wrath, anger [unwillig unwilling; involuntary; unwillkürlich involuntary]
Sein Benehmen hat Unwillen erregt (caused indignation).

unwissend (wissen) ignorant, ignoramus [die Unwissenheit ignorance]

unzählig (Zahl) innumerable

uralt (alt) very old, ancient
Die Bäume in diesem Walde sind uralt.

die **Ursache, –n** (Sache) = der Grund cause, reason, motive
Verschiedene Ursachen führten zu seinem Tode.
Keine Ursache! Do not mention it! (*in reply to thanks*)

*der **Ursprung, –s, ⸗e** (springen) origin [ursprünglich original]
Man weiß nichts über den Ursprung dieser Sage.

***urteilen** judge, give opinion; sentence; [das Urteil sentence; judgment; opinion]; nach seinen Worten (seinem Aussehen) zu urteilen judging by his words (his looks)

V

*der **Vater, –s, ⸗,** father [väterlich fatherly, paternal]

das **Veilchen, –s, —,** violet

verachten despise, scorn; G. achten respect [die Verachtung contempt, disdain]
Er ist ein charakterloser Mensch; ich verachte ihn.

der **Verband, –s, ⸗e** (binden) bandage; organization

verbannen banish, exile [die Verbannung banishment, ban]

verbergen (i, a, o) hide, conceal; im Verborgenen lauern oder liegen lurk, lie in wait *or* ambush
Er hat sich im Walde verborgen (= versteckt).

verbessern (besser) = korrigieren correct
Der Lehrer verbessert die Aufsätze der Schüler.

sich **verbeugen** bow, salute
Der junge Herr verbeugte sich vor der schönen Dame.

verbieten (o, o) forbid, prohibit; G. erlauben permit; verbotene Früchte forbidden fruit(s)
Rauchen verboten! No smoking allowed!
Eingang verboten! No admittance!

verbinden (a, u) connect; bandage *or* dress; unite *or* combine; oblige [die Verbindung connection; union, fraternity]
Die zwei Städte sind durch eine Brücke verbunden.
Ich bin Ihnen für Ihre Hilfe sehr verbunden (= dankbar).
Wir werden dir die Augen verbinden (will blindfold you).

das **Verbot**, –s, –e (verbieten) prohibition, interdiction

der **Verbrauch**, –s consumption [verbrauchen use up, consume]
Der jährliche Verbrauch von Zucker beträgt hunderte von Tonnen.

das **Verbrechen**, –s, —, crime [der Verbrecher criminal; verbrechen commit a crime]
Der Mörder hat das Verbrechen (ein)gestanden (confessed).

verbreiten (breit) spread, diffuse
Es hat sich ein Gerücht verbreitet, daß . . . A rumor has been spread about that . . .

verbringen (a, a) pass; spend
Wo haben Sie Ihre Ferien verbracht?

der **Verdacht**, –s, –e (denken) suspicion [verdächtig suspicious]
Wen hast du im Verdacht? Whom do you suspect?

verdammen = verurteilen condemn [die Verdammung condemnation]; zum Tode verdammen
Das ist ein verdammt schwieriges (a devilishly difficult) Problem.

verdanken owe (to)
Das habe ich Ihnen zu verdanken. I owe that to you.

verderben, verdirbt, verdarb, verdorben spoil, ruin, perish; corrupt [das Verderben destruction, ruin; verderblich fatal, pernicious]
Schlechter Umgang verdirbt gute Sitten. Bad company ruins good morals.

***verdienen** earn, deserve, merit [der Verdienst earnings, wages; das Verdienst merit, deserts, credit]
Wie viel verdient der junge Mann monatlich?

verdrängen displace, supersede
Die Maschine hat viele Handwerker verdrängt.

verdrießen, verdroß, verdrossen vex, disappoint [verdrießlich annoying, irksome; irritable; der Verdruß annoyance, disappointment]
Es hat ihn verdrossen, daß Sie nicht zeitig kamen.

verdünnen (dünn) thin out, weaken, dilute

verehren (Ehre) revere, venerate, worship, adore; present [die Verehrung veneration]; verehrter Herr, verehrter Herr Professor dear Sir, my dear Professor
Er ist ein Ehrenmitglied (honorary member) unsres Klubs; er wird von uns verehrt, und er verdient diese Verehrung.
Wir haben ihm zum Geburtstag eine goldene Uhr verehrt (presented).

*der **Verein**, –s, –e (ein) union, organization, association, club; im Verein mit in conjunction with

vereinen = vereinigen (ein) join, unite [die Vereinigung unification; club, fraternity]
Mit vereinten Kräften läßt sich vieles vollbringen.

die **Vereinigten Staaten** the United States

vereinzelt (einzeln) isolated, separate; single, individual; in vereinzelten Fällen in individual *or* a few cases

verfahren (ä, u, a) act, proceed; get lost [das Verfahren process, procedure]; vorsichtig verfahren act *or* handle carefully; die Wege verfahren ruin the roads by driving
Wie verfahren wir wohl am besten? What would be the best way for us to proceed?
Er hat sich in der unbekannten Gegend verfahren (lost his way).
Die Sache ist gründlich verfahren (in a muddle, in a thorough mess).

der **Verfall**, –s (verfallen) ruin; decay, decline
Das Gebäude ist in Verfall geraten (become dilapidated).

***verfassen** compose, write [der Verfasser composer, author]
Er hat ein berühmtes Lied verfaßt.

die **Verfassung**, –en (verfassen) constitution; state, condition
Jedes Land hat eine Verfassung.
Dieses Haus ist in schlechter Verfassung.

verfehlen miss, fail
Er hat seinen rechten Beruf verfehlt.

verfolgen pursue, persecute, prosecute [die Verfolgung pursuit; persecution; chase]; den Weg verfolgen continue on one's way
Er hat seine Studien mit großem Eifer verfolgt.

verführen mislead, seduce

*die **Vergangenheit** (vergehen) past time; the past; G. die Gegenwart present time; presence [vergangen past; last; vergänglich transitory, fleeting]; die graue Vergangenheit hoary past; die vergangene Woche, das vergangene Jahr

vergeben (i, a, e) give away; forgive; misdeal [die Vergebung forgiveness; giving away]; die Hand der Tochter vergeben give one's daughter in marriage; sich nichts vergeben guard jealously over (*or* not forget) one's dignity *or* honor
Es soll dir diesmal vergeben sein. You shall be forgiven this time.
Er hat sich beim Kartenspiel vergeben (= misdealt).

vergebens = umsonst, vergeblich, ohne Erfolg in vain

vergeblich = vergebens

vergehen (i, a) (s.) pass; perish
Die Zeit ist uns sehr schnell vergangen.
Er vergeht vor Sehnsucht, vor Ungeduld. He is almost dying with longing, with impatience.
Mir ist alle Lust dazu vergangen. I've lost all desire for it.

****vergessen**, vergißt, vergaß, vergessen forget; G. sich erinnern remember [die Vergessenheit oblivion; die Vergeßlichkeit forgetfulness]; in Vergessenheit geraten sink into oblivion
Ich hatte das Gedicht auswendig gelernt und doch habe ich es wieder vergessen.

der **Vergleich,** –s, –e (gleich) comparison; agreement [vergleichbar, vergleichlich comparable]; einen Vergleich schließen come to an agreement; einen Vergleich machen (anstellen) draw a comparison

vergleichen (i, i) compare
Vergleichen Sie die zwei Gemälde; welches ist das schönere?

*das **Vergnügen,** –s enjoyment, pleasure; amusement, diversion [sich vergnügen enjoy oneself, divert oneself; die Vergnügung pleasure, amusement]
Ich tue es mit Vergnügen. I do it gladly.
Ich wünsche Ihnen viel Vergnügen! I wish you a good time (lots of fun).

vergönnen grant, permit
Es war mir nicht vergönnt, ihn wiederzusehen. I was not privileged (*or* destined) to see him again.

vergrößern (groß) enlarge, magnify [die Vergrößerung enlargement]
Mit dem Vergrößerungsglas kann man Gegenstände um vieles (greatly, by much) vergrößern.

verhaften arrest, take into custody

sich **verhalten** (ä, ie, a) conduct oneself; remain; act [das Verhältnis relation, terms; proportion]; sich den Atem verhalten hold in one's breath; sich das Lachen oder den Zorn verhalten restrain oneself from laughing *or* suppress one's anger; ein Liebesverhältnis a love affair; in angenehmen Verhältnissen in easy (comfortable) circumstances; im Verhältnis zu in proportion to
Er verhielt sich (remained, behaved himself) ganz ruhig.

verhandeln treat, debate, negotiate

verhaßt (hassen) hateful, odious
Lügen sind mir verhaßt. I hate lies.

verheeren (Heer) ravage, devastate

verhehlen = verbergen, verheimlichen conceal, hide
Er hat mir den wahren Grund verhehlt.

verhüten = verhindern avert, avoid [die Verhütung prevention]
Wir konnten das Unglück nicht verhüten.

sich **verirren** lose one's way

verkaufen sell [der Verkauf sale; der Verkäufer salesman]

verkehren associate, carry on trade *or* business; distort [der Verkehr traffic; communication; intercourse]
Ich bin böse auf ihn; wir verkehren nicht mehr miteinander.
Es ist viel Verkehr (traffic) auf den Straßen.

verkehrt distorted, inside out, in a wrong way
Du machst ja alles verkehrt!

verklagen sue [der Verklagte = der Angeklagte defendant] sich **verkleiden** disguise oneself

****verlangen** = fordern long for; desire, demand; ask, require
[das Verlangen request; longing]
Ich verlange nicht viel vom Leben.
Das ist zu viel verlangt! That's asking too much!

****verlassen** (ä, ie, a) leave; sich verlassen auf (*acc.*) rely *or* depend upon
Er verließ uns, ohne Lebewohl zu sagen.
Ich verlasse mich ganz auf Sie.

verlaufen (äu, ie, au) (s.) pass away; sich verlaufen lose one's way
Die Zeit verlief (= verging) uns sehr schnell.
Wie ist die Sache verlaufen (go off, come out)?
Er hat sich im Walde verlaufen.

verlegen shift, move, misplace; mislay; transfer, postpone; publish;
auf einen anderen Tag verlegen (postpone)
Ich habe den Brief verlegt (misplaced).
Er hat sein Geschäft nach Hamburg verlegt (removed to).

verlegen = verwirrt embarrassed [die Verlegenheit embarrassment]
Der junge Mann wurde leicht verlegen.
Er bringt (setzt) ihn in Verlegenheit. He embarrasses him.

verleiten = verführen mislead
Er hat ihn zu bösen Taten verleitet.

verletzen = weh-tun, verwunden injure, hurt, wound; offend [die Verletzung injury]
Er hat sich den Fuß verletzt.

****verlieren,** verlor, verloren lose; G. finden find

*der **Verlust,** –es, –e (verlieren) loss; G. der Gewinn gain, profit
Wir haben große Verluste gehabt (oder erlitten).

sich **vermählen** (*see* Gemahl) get married [die Vermählten bridal couple; die Vermählung marriage; wedding]
Er hat sich mit einer Jugendfreundin vermählt.

vermehren (mehr) = vergrößern increase; G. vermindern decrease

vermissen miss
Wo warst du gestern Abend? Wir haben dich sehr vermißt.

das **Vermögen,** –s, —, possession; fortune, wealth; ability, power;
ein großes Vermögen erwerben (make *or* acquire)

vermögen, vermochte, vermocht be able to do, have influence [vermöge (*gen.*) by dint of]; ein vermögender Mann a man of wealth
Sie vermag es nicht zu verhindern. She cannot prevent it.

vermuten conjecture, suspect; presume; expect [vermutlich presumably, probably; die Vermutung supposition]
Ich vermute, daß er schon längst (long time ago, long since) abgereist ist; vermutlich ist er abgereist.

vernehmen (i, a, o) find out, learn, hear; become aware of; cross-examine
Ich hatte vernommen (learned), daß sie krank sei.
Plötzlich vernahmen (= hörten) wir ein Geräusch.

verneinen = nein sagen answer in the negative, gainsay; G. bejahen = ja sagen answer in the affirmative
Das will ich nicht verneinen. I won't gainsay that.

vernichten (nicht) destroy, annihilate; crush [die Vernichtung destruction]
Ein Gewittersturm vernichtete die Hütte.

die **Vernunft** reason; intellect; judgment [vernünftig reasonable, sensible, rational]; ihn zur Vernunft bringen bring him to his senses
Man sagt, der Mensch sei ein vernünftiges Wesen, er habe Vernunft.

verpflichten (Pflicht) bind, oblige [die Verpflichtung obligation]
Ich bin ihm zu Dank verpflichtet. I owe him thanks.

verraten (ä, ie, a) betray, give away [der Verrat treason; der Verräter traitor]
Er hat seinen besten Freund verraten.

verringern (*see* gering) = vermindern, verkleinern diminish, reduce [die Verringerung reduction]
Ich habe meine Schulden um die Hälfte verringert.

verrückt (rücken) crazy

der **Vers**, –es, –e (*Lat. versus*) verse

versammeln gather [die Versammlung meeting, assemblage]
Die Ratsherren versammelten sich im Rathaus(e).

versäumen miss; neglect
Sie haben nichts versäumt.

verschaffen procure [die Verschaffung procuring]; sich Gehör, Achtung, Recht verschaffen obtain hearing, respect, justice
Er hat seinem Freunde eine gute Stellung verschafft.

verschieden (scheiden) various, different, diverse [die Verschiedenheit difference, variety]
Verschiedene Menschen handeln unter verschiedenen Umständen oft ganz verschieden.

verschlingen (a, u) devour

der **Verschluß**, —(ss)es, ⸚(ss)e (verschließen) lock, bolt

verschmähen disdain, reject

verschweigen (ie, ie) keep still, not divulge [verschwiegen taciturn]

verschwenden waste, squander [die Verschwendung wasting]
Er hat sein ganzes Vermögen in kurzer Zeit verschwendet.

verschwinden (a, u) (s.) disappear, vanish
Die Sonne war hinter den Wolken verschwunden.

die **Verschwörung**, –en (schwören) conspiracy

versehen (ie, a, e) furnish, supply; sich versehen make a mistake [das Versehen oversight, mistake, blunder]; ein Amt oder einen Dienst versehen fill an office *or* perform a service; aus Versehen by mistake, inadvertently
Wir waren auf drei Monate mit Lebensmitteln versehen.
Er hat sich versehen (sich geirrt, einen Fehler gemacht).

versetzen = antworten, erwidern, entgegnen reply; give a blow *or* slap; transfer; promote; pawn [die Versetzung transfer; promotion; pawning]; einem den Weg versetzen block one's way; ihm eine Ohrfeige oder einen Schlag ins Gesicht versetzen box his ears *or* slap him in the face; seine Uhr versetzen pawn his watch
Der Schüler wurde nach der nächsten Klasse versetzt.
Versetzen Sie sich doch in meine Lage! Put yourself in my place!

versichern (sicher) insure, assure; gegen Feuer versichern (insure)
Ich versichere Dir, daß . . . I assure you that . . .

sich **versöhnen** become reconciled [die Versöhnung reconciliation]
Ich habe mich mit meinem Freunde wieder versöhnt.

versorgen provide, maintain [die Versorgung providing, maintenance]; sich neu versorgen mit . . . lay in a fresh supply of . . .
Er ist auf Lebenszeit versorgt (provided for for the rest of his life).

sich **verspäten** (spät) be late [die Verspätung coming too late; delay]
Der Redner hatte sich um eine halbe Stunde verspätet.

****versprechen** (i, a, o) promise; sich versprechen make a slip of the tongue, misspeak [das Versprechen promise]
Du hast mir vieles versprochen, hast aber dein Versprechen nicht gehalten.
Ich habe mich versprochen. I misspoke, made a slip.

der **Verstand**, –s (verstehen) understanding, intelligence; intellect [verständig sensible; verständlich intelligible; das Verständnis understanding]
Verstand kommt mit den Jahren (Sprichwort).

verstärken (stark) strengthen, reinforce [die Verstärkung reinforcement]
Das Regiment wurde um ein hundert Mann verstärkt.

verstecken hide, conceal [das Versteck hiding place]
Er hatte sich versteckt; wir haben jedoch sein Versteck gefunden.

****verstehen,** verstand, verstanden understand; G. mißverstehen misunderstand
Das versteht sich (von selbst). That is self-understood.
Er versteht sich darauf. He knows that well, is a good judge of it.
Er versteht sich auf seinen Vorteil. He knows what is advantageous to him.

verstummen (stumm) grow silent; be speechless; be struck dumb [die Verstummung loss of speech; (sudden) silence]
Die Nacht naht heran; die Lieder der Vögel verstummen.

***versuchen** try, attempt; tempt [der Versuch attempt, trial; die Versuchung temptation]
Er versuchte (= machte den Versuch), die Tür zu öffnen.

vertauschen = verwechseln exchange
Mein Freund und ich hatten unsre Hüte vertauscht.

verteidigen defend [der Verteidiger defender; die Verteidigung defense]
Er hat ihn vor dem Gericht verteidigt.

verteilen (Teil) distribute; das Geld unter die Armen verteilen; die Rollen verteilen assign parts (in a play)

vertiefen (tief) deepen; sich vertiefen become absorbed in [die Vertiefung deepening; hollow; excavation]

der **Vertrag**, –s, ⸚e contract; treaty [der Mietsvertrag lease]; einen Vertrag schließen make a contract

vertragen (ä, u, a) bear, endure; wear out; sich vertragen be compatible, get along with
Er kann viel Wein vertragen (stand).
Er konnte sich mit keinem Menschen vertragen (get along).

das **Vertrauen**, –s trust, confidence [vertrauen trust; vertraulich confidentially]; im Vertrauen gesagt between ourselves

vertreiben (ie, ie) drive away, dispel; banish, eject; pass away
Der Wind vertrieb die Wolken.
Wir haben uns mit Kartenspiel die Zeit vertrieben (passed away).

verursachen (Ursache) cause
Der Ungehorsam (disobedience) des Sohnes hat der Mutter viel Herzeleid verursacht (= bereitet).

verurteilen (Urteil) = verdammen condemn, sentence
Der Verbrecher wurde zum Tode verurteilt.

***verwandeln** (Wandel) = umwandeln, ändern transform, change; in Geld, in Staub verwandeln turn into money, to dust
Vieles verwandelt sich im Laufe der Zeit.

***verwandt** related, kindred [der Verwandte relative; die Verwandtschaft relation; relationship]
Wir sind miteinander verwandt. We are related to each other. We are relatives.

verweilen (Weile) = bleiben, sich aufhalten stay, stop, sojourn; bei einem Gegenstande verweilen dwell upon a subject
Er verweilte nur ein paar Tage in seiner Heimatstadt.

verwenden (a, a) make use of, apply; spend [die Verwendung use, application]; seine Zeit gut verwenden
Sie verwendet sehr viel Geld auf ihre Kleider.
Er verwandte kein Auge von ihr. He never took his eyes from her.

verwerfen (i, a, o) reject [verwerflich objectionable, wicked]
Der Plan wurde von ihm verworfen.

verwerten (Wert) utilize, turn to account [die Verwertung utilization, use]
Wir konnten seine Vorschläge nicht verwerten.

verwickeln entangle, involve, complicate [die Verwicklung entanglement]
Das ist eine verwickelte Sache (complicated matter)!

verwirklichen (wirklich) realize [die Verwirklichung realization]
Der Plan war nicht zu verwirklichen (= nicht auszuführen).

verwirren (wirr) confuse, bewilder [die Verwirrung confusion]
Es macht einen ganz verwirrt (= verworren, wirr).

verwunden (Wunde) wound [die Verwundung wounding]
Der Schuß hat ihn am Arm verwundet.

verzagen despond, despair

verzehren consume, eat *or* drink; sich verzehren pine away, waste away [die Verzehrung consumption]
Der Wirt brachte uns die Rechnung für das, was wir verzehrt hatten.
Er verzehrt sich vor Sehnsucht nach der Geliebten.

verzeihen, verzieh, verziehen = entschuldigen pardon, excuse, forgive [die Verzeihung pardon, excuse]
Verzeihen Sie bitte = Ich bitte um Verzeihung (= um Entschuldigung).

verzichten (auf + *acc.*) renounce, forego [der Verzicht renunciation]
Ich muß auf das Vergnügen verzichten (forego).
Er verzichtet darauf. He gives up his claim to it.

*der **Vetter,** –s, –n cousin (*masc.*); *see* die Kusine cousin (*fem.*)

*das **Vieh,** –es (*cog.* fee) cattle

****viel** much; G. wenig little [viele many; vielfach manifold; vielmals many times]

****vielleicht** = es kann sein perhaps, perchance; maybe

vielmehr (*conj.*) = im Gegenteil rather; in fact, on the contrary
Ich werde nicht lange hier bleiben; ich werde vielmehr schon morgen abreisen.

viereckig (Ecke) square [das Viereck quadrangle; *cf.* das Dreieck triangle]
Es gibt runde, ovale und viereckige Tische.

das **Viertel,** –s, —, quarter; one-fourth
Es ist jetzt Viertel nach neun, drei Viertel fünf usw.
Geben Sie mir ein Viertel von dem Gelde.
In diesem Viertel der Stadt (= in diesem Stadtviertel ward, district), wohnen nur arme Leute; es ist das Armenviertel unserer Stadt.

der **Vogel, –s, ⸚ (*cog.* fowl) bird [der Vogel Strauß ostrich; der oder das Vogelbauer bird cage]
Er hat den Vogel abgeschossen. He carried off the prize.

*das **Volk,** –es, ⸚er (*cog.* folk) people, nation; populace, mob

****voll** full, filled, replete; G. leer empty, bare; ein Glas voll Wein; ein Beutel voll Gold; ein volles Jahr a whole year

***vollenden** (Ende) = fertig machen, zu Ende führen finish, complete [vollends fully; die Vollendung completion, perfection]

völlig (voll) = gänzlich full, entire
Das war ein völliger Fehlschlag. That was a complete failure.
Er war völlig wach (fully *or* wide awake).

***vollkommen** = völlig, vollständig complete, entire; perfect [die Vollkommenheit perfection]
Ich hatte den Brief vollkommen vergessen.

***vollständig** = völlig, vollkommen, ganz und gar full, complete, entire [die Vollständigkeit completeness]; vollständig im Unklaren utterly at sea, quite puzzled; eine vollständige Sonnenfinsternis a total eclipse of the sun

vollziehen (o, o) = aus=führen, vollführen, vollstrecken carry out, execute [die Vollziehung execution]; eine Ehe vollziehen consummate a marriage; das Todesurteil vollziehen (carry out)

****von** (*dat.*) of; from; about; von heute an from this day on
Von wem sprechen Sie? Wovon sprechen Sie?

vonstatten gehen (s.) progress, go on, proceed [zustatten kommen be of benefit; come in good stead; realize]
Es geht gut (schnell, langsam) vonstatten. It is progressing well (rapidly, slowly).
Das Geld kommt mir gut zustatten.

****vor** (*dat. or acc.*) before; of *or* with; for; ago; vor zwei Jahren, vor zwei Wochen usw. two years ago, two weeks ago, etc.
Der Winter steht vor der Tür. Winter is near.
Er zittert vor Kälte, er stirbt vor Hunger, er lacht vor Freude.

voran ahead [voran=gehen, voran=schicken usw.]
Gehen Sie nur voran! Just go ahead!
Wir kommen nicht voran. We are making no progress.

***voraus** ahead; in advance, beforehand [voraus=gehen, voraus=sagen, voraus=sehen usw.]; im voraus geplant planned ahead of time
Er ging voraus, und wir folgten ihm.
Sie hat das vor ihm voraus. She has that advantage over him.

voraus=setzen = an=nehmen presuppose, assume [die Voraussetzung assumption]
Er hatte vorausgesetzt, daß ich die Dame kenne.

vorbei along, by; over, past [vorbei=gehen, vorbei=laufen usw.]
Es ist zehn Uhr vorbei.
Es ist mit ihm vorbei (= zu Ende).
Vorbei ist vorbei. Bygones are bygones.

vor=bereiten prepare (in advance) [die Vorbereitung preparation]
Wir waren darauf gar nicht vorbereitet.
Er bereitet sich auf die Prüfung vor.

vorder fore, front; G. hinter (be)hind [der Vordergrund foreground]
Ein Wagen hat zwei Vorderräder und zwei Hinterräder.

der **Vorfall**, –s, ⸗e occurrence, incident
Der Vorfall erregte großes Aufsehen (sensation).

der **Vorgänger**, –s, — (gehen) predecessor
Er war mein Vorgänger im Geschäft.

vorgestern = vor zwei Tagen day before yesterday

vorhanden on hand, in stock
Von dem ganzen Gelde war nichts mehr vorhanden.

vorher before, previously; in advance, beforehand; kurz vorher shortly before; lange vorher long before; am Abend vorher the preceding evening, the night before

vorhin = vor kurzem a little while ago
Ich habe erst vorhin bemerkt, daß wir den Regenschirm vergessen haben.

vorig previous, before, former; die vorige Woche the week before
Du hast mir das vorige Mal die Geschichte anders erzählt.

***vor=kommen** (a, o) (s.) = geschehen, passieren come forward; occur, happen; seem, appear
So etwas kommt nicht alle Tage vor. Such things do not happen every day.
Platin kommt wenig vor. Platinum is of rare occurrence.
Es kommt mir vor (it seems to me), als ob ich die Geschichte schon einmal gehört hätte.

vorläufig = zur Zeit, gegenwärtig for the time being; preliminary
Ich habe vorläufig nichts zu tun.

vor=lesen (ie, a, e) read to
Jeden Abend las unsere Mutter uns ein Märchen vor.

vorlieb=nehmen (i, a, o) = fürlieb=nehmen be content
Er nimmt vorlieb damit. He puts up with it.

die **Vorliebe** preference; mit Vorliebe preferably
Ich habe eine große Vorliebe für moderne deutsche Dichter.

der **Vormittag**, –s, –e forenoon; G. der Nachmittag afternoon; am Vormittag(e) in the forenoon

vorn(e) in front; G. hinten behind, in the rear; vorn im Buche on the front page; von vorne anfangen begin at the beginning
Wir wohnen vorne. We occupy front rooms.

vornehm distinguished; eine vornehme Gesellschaft; ein vornehmer Herr

vor=nehmen (i, a, o) take before; take to task; undertake; sich etwas vornehmen intend; design
Nehmt eure Bücher vor! Take your books!
Was ich mir auch vornehme, führe ich aus. Whatever I undertake, I finish.

vornherein = von vornherein from the first, at the very start
Ich möchte Sie von vornherein vor diesem Manne warnen.

der **Vorrat**, –s, ⸗e supply, stock, provision [vorrätig on hand, in stock]
Die Vorräte sind aufgebraucht (= erschöpft); die Speicher (warehouses) sind leer.

***vor=schlagen** (ä, u, a) = an=tragen propose; make a motion, move [der Vorschlag proposition, proposal; suggestion; offer; motion]
Ich schlage vor (= ich mache den Vorschlag), daß ...

die **Vorsicht** (sehen) precaution [vorsichtig careful]
Vorsicht ist die Mutter der Weisheit.
Vorsicht! Look out!

vor=stellen present, introduce; conceive, imagine [die Vorstellung introduction; performance; conception]
Wollen Sie mich, bitte, dem Herrn vorstellen (introduce)?
Ich kann mir die Sache gar nicht vorstellen (conceive).

*der **Vorteil,** –s, –e advantage; G. der Nachteil disadvantage [vorteilhaft advantageous]
Das wäre zu Ihrem Vorteil = Das wäre für Sie vorteilhaft.

vortrefflich (trefflich) excellent; eine vortreffliche Rede; ein vortrefflicher Mensch

vorüber past, over; along, by [vorüber=fließen, vorüber=gehen usw.]
Warten Sie noch eine Weile, der Regen wird bald vorüber sein.

vorwärts forward, ahead; G. rückwärts, abwärts, aufwärts, seitwärts backward, downward, upward, sideways

vor=werfen (i, a, o) hold up to, reproach with [der Vorwurf reproach]
Er wirft mir vor (= er macht mir den Vorwurf), daß . . .

der **Vorwurf,** –s, ⁻̈e *see* vorwerfen

***vor=ziehen** (o, o) draw forth; prefer [der Vorzug preference; advantage, merit; vorzüglich superior, excellent]; jemand(en) vorziehen = jemand(em) den Vorzug geben
Was ziehen Sie vor, Tee oder Kaffee?

der **Vorzug,** –s, ⁻̈e *see* vorziehen

W

***wachen** = wach sein be awake; sit up; watch over; guard [wach awake; die Wache guard, watch; wachsam watchful, on the alert]
Schläfst du schon, oder bist du noch wach? (= wachst du noch?)

****wachsen,** wächst, wuchs, ist gewachsen (*cog.* wax) grow [erwachsen grow out of; erwachsen adult, grown up; das Gewächs plant, herb; das Wachstum growth]; einem über den Kopf wachsen get the upper hand of a person
Er ist ihm ans Herz gewachsen. He is nearest to his heart.
Er ist ihm nicht gewachsen. He is not a match for him.

der **Wächter,** –s, — (wachen) watchman, guard

wacker = brav, tapfer brave, valiant; gallant; honest
Er hat für die gute Sache wacker gekämpft.

*die **Waffe,** –n weapon [waffnen arm]
Die modernen Maschinengewehre sind gefährliche Waffen.

der **Wagen, –s, —, wagon, carriage, car
Viele Eisenbahnzüge führen Speisewagen und Schlafwagen (have dining cars and sleepers).

***wagen** dare; risk, venture
Wer nichts wagt, gewinnt nichts (Sprichwort).

***wägen,** wog, gewogen weigh, consider
Erst wägen, dann wagen (Sprichwort).

die **Wahl,** –en (wählen) choice; election, selection; eine gute Wahl treffen make a good choice

***wählen** choose, elect, select [der Wähler voter; wählerisch particular (in one's choice)]

der **Wahnsinn,** –s madness, insanity [wahnsinnig mad, insane]; reiner Wahnsinn sheer madness

****wahr** true, real; G. falsch false, untrue [wahrhaft, wahrhaftig true, real, genuine; wahrlich indeed, truly]
Nicht wahr? Is it not so?
Du kennst ihn doch, nicht wahr? You know him, don't you?

***währen** = dauern endure
Ehrlich währt am längsten (Sprichwort). Honesty is the best policy.

****während** (*conj.*) while; whereas; (*prep.* + *gen.*) during; während des Tages, der Nacht usw.
Ihm fällt das Lernen sehr leicht, während es mir viel Schweiß kostet.

die **Wahrheit,** –en truth
Kinder und Narren sprechen die Wahrheit (Sprichwort).

wahr=nehmen (i, a, o) become aware, notice, observe; perceive; realize [die Wahrnehmung observation, perception, realization]; eine Gelegenheit wahrnehmen seize an opportunity
Er hatte den Verlust der Börse erst nach seiner Rückkehr wahrgenommen.

***wahrscheinlich** probably, likely [die Wahrscheinlichkeit probability, likelihood]; aller Wahrscheinlichkeit nach . . . in all probability . . .
Du hast mich wahrscheinlich gar nicht verstanden.

****der Wald,** –es, ⸗er (*cog.* wold) woods, forest [die Waldung woodland]

der **Wall,** –es, ⸗e = die Mauer (stone) wall, rampart
Der Wall war zu hoch, wir konnten nicht hinüberklettern.

****die Wand,** ⸗e wall (of a room)

der **Wandel,** –s change [der Lebenswandel way of living, behavior; wandeln wander, go]; Wandel schaffen bring about a change

wandern (s.) wander, hike; travel; go [der Wanderer traveler, pilgrim; hiker; der Einwanderer immigrant; die Einwanderung immigration; die Wanderschaft, die Wanderung traveling; die Wanderlust desire *or* fondness for wandering]
Wir wanderten von Ort zu Ort; wir gingen auf die Wanderschaft.

die **Wange,** –n = die Backe cheek

wann (*used in direct or indirect questions*) when
Wann sind Sie nach Hause gekommen?
Ich weiß nicht mehr, wann wir nach Hause gekommen sind.

*die **Ware,** –n (*cog.* ware) goods, merchandise

**warm (¨) warm; G. kalt cold [die Wärme warmth, heat; wärmen, erwärmen warm, heat]

warnen warn [die Warnung warning]
Er hat mich vor ihm gewarnt. He warned me about him.

****warten** (*cog.* ward) wait; wait for [der Wärter keeper, guard]
Auf wen (for whom) warten Sie?
Worauf warten Sie? What are you waiting for?

*-**wärts** [abwärts; aufwärts; rückwärts; seitwärts; vorwärts]

****warum** why

***was** (*rel. pron.*) that (*used after neuters of pronouns and adjectives:* alles, nichts, vieles, das Beste usw.)
Das ist alles, was Sie tun können.

***was** (*inter. pron.*) what
Wissen Sie, was das bedeutet?

****was für ein** what kind of, what sort of
Was für ein Buch ist das?
Ich weiß nicht, was für ein Buch das ist.

waschen, wäscht, wusch, gewaschen wash [die Wäsche wash, washing; (soiled) linen, etc.]
Er wäscht sich die Hände, das Gesicht usw. He is washing his hands, his face, etc.
Das hat sich gewaschen! That's fine!

das **Wasser, –s water; unter Wasser setzen submerge

weben, wob, gewoben oder webte, gewebt weave [das Gewebe texture, fabric; der Weber weaver]
Perser und Chinesen (Persians and Chinese) weben wundervolle Teppiche.

***wechseln** change [die Abwechslung change; der Wechsel change; bill of exchange; promissory note]; einen Wechsel unterschreiben sign a promissory note
Hierzulande (in our country) wechselt das Klima sehr plötzlich; dieser plötzliche Wechsel ist ungesund.
Können Sie mir bitte fünf Dollars wechseln?

wecken awaken, waken, call [die Weckuhr alarm clock]
Die Weckuhr hat uns um Punkt sieben Uhr (at exactly seven o'clock) geweckt.

****weder . . . noch** neither . . . nor [entweder . . . oder either . . . or]
Er kann weder singen noch tanzen.

***weg** = fort, hinweg way, forth, off; gone [weg-fahren, weg-gehen, weg-kommen, weg-laufen usw.]
Wann ist er weggegangen?
Er ist schon längst weg. He has been gone for a long time.
Mein ganzes Geld ist weg (gone).
Hände weg! Hands off!

der **Weg, –es, –e way, road, path
Er machte sich auf den Weg. He started on his way.
Er geht (fährt) seines Weges weiter. He continues his journey.

wegen (*gen.*) because of; on account of; von Rechts wegen by right
Wegen des Regens mußten die Kinder zu Hause bleiben.
Ich tue das nur deinetwegen (seinetwegen, Ihretwegen, wegen des Onkels oder des Onkels wegen usw.).

weh (*cog.* woe) [das Weh pain, pang, woe; die Wehmut sadness]
Weh(e) dir! Woe to you! O weh! Alas!

wehen blow, sweep
Ein sanfter Wind wehte durch die Bäume.

(sich) **wehren** resist, fight, defend oneself

***weh=tun** (a, a) hurt
Habe ich dir wehgetan? Did I hurt you?
Der Kopf tut ihm weh. His head hurts.

*das **Weib**, –es, –er (*cog.* wife) = die Frau woman, wife [weiblich womanly; female; feminine]; zum Weibe (= zur Frau) nehmen marry
Mein Freund ist ein Weiberfeind (woman hater).

weich (*cog.* weak) soft, mellow; G. hart hard
Er hat ein zu weiches Herz = Er ist zu weichherzig.
Mir wurde ganz weich ums Herz. I was deeply touched.

weichen, wich, ist gewichen (*cog.* weak) stir; budge; yield; give way [aus=weichen avoid, evade; zurück=weichen recede, retreat]
Er wich nicht von der Stelle; er wich nicht zurück.

weiden graze, pasture; feast one's eyes on [die Weide pasture, meadow; die Augenweide feast for the eyes]
Die Kühe weiden auf der Wiese.
Er weidete sich an ihrer Schönheit.

sich **weigern** = verweigern refuse [die Weigerung, die Verweigerung refusal]
Er weigert sich, die Rechnung zu bezahlen.

die **Weihnacht(en) Christmas; zu Weihnachten at Christmas time, for Christmas

****weil** (*conj.*) = da because, since; while
Ich kam nicht zur Schule, weil ich krank war.
Freut euch des Lebens, weil noch das Lämpchen glüht (Volkslied). Enjoy life while you are still alive.

die **Weile = eine kurze Zeit while, short time, space of time
Warte eine kleine Weile auf mich (for me).

der **Wein, –es, –e wine; vine [der Weinberg vineyard; die Weinlese harvesting of grapes]; jemandem klaren Wein einschenken tell a person the whole truth

***weinen** (*cog.* whine) = Tränen vergießen cry, weep, shed tears; G. lachen laugh; bittere Tränen weinen; vor Freude weinen; sich die Augen aus dem Kopfe weinen cry one's eyes out

***die Weise,** –n (*cog.* wise) manner, way; fashion; melody, tune; in keiner Weise in no way; gleicherweise likewise
Auf diese Weise kommen wir nicht weiter (we will not get ahead).
Er spielte und sang altbekannte Weisen (well-known melodies).

***weise** wise, prudent, sage
Es gibt im Menschenleben Augenblicke, wo es weise ist, nicht allzu weise sein.

weisen, wies, gewiesen = zeigen show; point, direct [ab=weisen reject, refuse; verweisen exile, banish; refer; reprimand; zurück=weisen reject, repel]
Er wies auf mich. He pointed to me.
Er verwies den Fremden an mich. He referred the stranger to me.
Er wies uns die Tür. He ordered us out.
Er wies unsere Bitte zurück. He rejected our request.

die **Weisheit** wisdom, prudence
Er ist mit seiner Weisheit zu Ende. He is at his wits' end.

****weiß** white; G. schwarz black
Er wurde vor Schreck kreideweiß (white as chalk).

****weit** far, wide, distant [weitgehend far off, far reaching; weithin far off; von weitem from afar]
Er ist weit und breit (far and wide) bekannt.
Er bringt es noch weit. He will attain great eminence *or* proficiency. He will be very successful.

weiter further, on [weiterhin furthermore]; und so weiter = usw. and so forth, etc.; ohne Weiteres without further ado; alles Weitere everything else, further particulars
Weiter habe ich nichts zu berichten (report).
Lesen Sie weiter! Read on!

der **Weizen,** –s wheat

***welch** which, what, who

die **Welle,** –n wave, billow

****die Welt,** –en world [weltlich worldly, secular, temporal; der Weltteil part of the world, continent]
Was in aller Welt machst du da? What in the world are you doing there?
Alle Welt war da. Everybody was there.

***wenden,** wandte, gewandt (*cog.* wend) turn; apply [ab=wenden prevent, turn away; die Wendung turn] *(also:* wendete, gewendet)
Wenden Sie bitte das Blatt!
Wenden Sie sich an ihn.
Er wendet sich ab. He turns away.

****wenig** little; G. viel much [*pl.* wenige few; wenigſtens at least]; ebenſowenig just as little; nicht weniger als . . . not less than . . . ; um ſo weniger so much the less
Er weiß ſehr wenig davon.
Das wenige, was er hat . . . The little (that) he possesses . . .
Er iſt nichts weniger als reich. He is anything but rich.

****wenn** if; when (= whenever); wenn auch, wenn ſchon although, even if; und wenn auch, ſelbſt wenn granted that, even if
Wenn du mit der Arbeit fertig biſt, können wir gehen.
Jedesmal, wenn ich nach Hauſe kam, lag ein Brief für mich da.

wer who, he who
Wer iſt an der Tür?
Wer zuletzt lacht, lacht am beſten (Sprichwort).

****werden,** wird, wurde (oder ward), iſt geworden grow; be; become; get; turn; zu Stein werden turn into stone
Es wird ſpät. It is getting (= growing) late.
Aus dir wird nichts. You will amount to (will be) nothing.
Es wird nichts daraus. Nothing will come of it.

****werfen,** wirft, warf, geworfen (*cog.* warp) throw, hurl, cast [verwerfen reject]; über den Haufen werfen overthrow
Er warf ihm den Schneeball an den Kopf.

***das Werk,** –es, –e work (*especially of art or literature*) [die Werkſtatt workshop; das Werkzeug tool]
Ich beſitze die ſämtlichen (complete) Werke Schillers.

***der Wert,** –es, –e value, worth [wert worth; wertlos worthless; wertvoll valuable]
Es iſt der Mühe wert. It is worth while.
Er legt großen Wert darauf. He sets great store by it, values it highly.

***das Weſen,** –s, —, being, creature; system; essence; character; manner [das Erziehungsweſen educational system; das Finanzweſen financial matters; das Schulweſen school system; weſentlich essential, vital]; ohne viel Weſens zu machen without much ceremony
Alle Weſen leben vom Licht (Schiller).
Er macht viel Weſens davon. He makes much ado about it.
Er hatte ein angenehmes Weſen (pleasant manner).
Er hat (treibt) ſein Weſen da. He makes his home (plays his pranks *or* carries on) there.

weshalb = warum why

****der Weſt** oder Weſten, –s west [weſtlich western, west of]

***die Weſte,** –n vest, waistcoat

wetten wager, bet [die Wette wager, bet]
Wollen wir darauf wetten? Gut, ich wette darauf.
Man läuft, rudert uſw. um die Wette. They compete in running, rowing, etc. (run, row, etc., as fast as they can).

****das Wetter,** –s weather; alle Wetter! the deuce!

***wichtig** (wiegen) (*cog.* weighty) important [die Wichtigkeit importance]
Das ist für mich höchst wichtig.

wickeln wrap, wind [ab=wickeln unwind; ein=wickeln wrap up; ent=wickeln develop]

***wider** = gegen (*acc.*) against; das Für und das Wider reasons for and against
Wer nicht für mich ist, ist wider mich.

widerfahren (ä, u, a) (s.) = geschehen happen to, befall, occur
Das kann jedem widerfahren. That can happen to anyone.

widerlegen refute [die Widerlegung refutation]; eine Behauptung widerlegen

widersprechen (i, a, o) contradict, gainsay
Ihm wurde von allen Seiten widersprochen. He was opposed on all sides.

der **Widerspruch**, –s, ⸚e (widersprechen) contradiction

der **Widerstand**, –s, ⸚e (widerstehen) resistance, opposition
Er ergab sich (surrendered, gave in) ohne Widerstand.

widerstehen (a, a) resist, withstand; be repugnant
Ich konnte der Versuchung nicht widerstehen.
Fette Speisen widerstehen mir (are repulsive to me).

widerstreben be repugnant, resist; seinem Willen widerstreben oppose his wish

der **Widerwille**, –ns (wollen) aversion, dislike

widmen devote, dedicate [die Widmung dedication]
Er widmet seine ganze Zeit der Wissenschaft.
Der Dichter widmete der Mutter sein erstes Buch.

widrig (wider) adverse; hostile; widrige Winde, Umstände adverse winds, circumstances

****wie** how; as; like; wie dem auch sei how(so)ever that may be
Wie hast du das gemacht?
Mein Freund ist genau so alt wie ich.
Wie so denn? How so?

****wieder** again [wieder=kommen, wieder=sehen, wieder=tun usw.]; immer wieder again and again
Tu(e) es nicht wieder!

wieder=geben (i, a, e) = zurück=geben give back, return; reproduce [die Wiedergabe returning; reproduction]
Der Schüler gab den Inhalt des Buches in kurzen Worten wieder.

***wieder=holen** get again, fetch again
Holen Sie mir das Buch wieder = Bringen Sie mir das Buch zurück.

****wiederholen** repeat [die Wiederholung repetition]
Bitte wiederholen Sie, was Sie soeben gesagt haben.

das **Wiedersehen,** –s seeing *or* meeting again
Der Abschied wäre bitter, wenn es kein Wiedersehen gäbe.
Auf Wiedersehen! Good-bye! Until we meet again!

wiederum = wieder; ander(er)seits again; on the other hand
Er war wiederum (wieder) schwer erkrankt.
Er hat zum Teil recht; wiederum kann ich auch die Ansicht seines Gegners würdigen (appreciate).

die **Wiege,** –n cradle

***wiegen,** wog, gewogen weigh [das Gewicht weight]
Wie viel wiegst du? Mein Gewicht ist (= ich wiege) einhundertundfünfzig Pfund.

*die **Wiese,** –n meadow
Auf unserer Wiese wachsen allerlei Blumen.

wieviel how much; wie viele how many
Wieviel gibst du mir für das Buch (dafür for it)?

****wild** wild, savage; G. zahm tame [das Wild game; der Wilde savage; die Wildheit ferocity; die Wildnis wilderness]
Es gibt wilde und zahme Tiere.

der **Wille(n),** –ns (wollen) will, will power [willenlos irresolute]; um meinetwillen, ihretwillen usw. for my sake, her (*or* their) sake, etc.
Man muß nur den guten Willen haben, dann geht es schon.
Um Gottes (oder Himmels) willen! For heaven's sake!

willig = willens willing, willingly
Er erklärte sich willig (oder willens), die Arbeit zu übernehmen.

willkommen welcome
Er heißt ihn willkommen. He welcomes him.

die **Willkür** arbitrariness [willkürlich arbitrary]

der **Wind, –es, –e wind [windig windy]

der **Wink,** –es, –e sign, hint, beckoning [winken signal, beckon]; einem mit den Augen (mit der Hand) einen Wink geben; auf seinen Wink (hin) at the sign from him

der **Winkel,** –s, —, angle, corner; nook [winklig, winklicht angular; winding]; in allen Winkeln und Ecken in every nook and corner
Die Katze sitzt im Winkel und schnurrt (purrs).

der **Winter, –s, —, winter

der **Wipfel,** –s, — = der Gipfel, die Spitze top
Man spricht von den Wipfeln der Bäume (Baumwipfeln), aber von den Gipfeln (= Spitzen) der Berge (Berggipfeln, Bergspitzen).

***wirken** work, react, effect [bewirken cause; einwirken influence; mitwirken cooperate; wirksam effective; die Wirkung effect]

***wirklich** real, genuine [die Wirklichkeit reality]
Macht dir das wirklich so viel Freude? Does it really give you so much pleasure?

*der **Wirt**, –es, –e host; innkeeper, landlord, hotel keeper [die Wirtin hostess; innkeeper's wife; landlady; das Wirtshaus inn, restaurant; tavern; die Wirtsleute innkeepers]
Wir traten in ein Wirtshaus und wurden (von dem Wirt und der Wirtin) aufs beste bewirtet (entertained, provided with food and beverage).

die **Wirtschaft**, –en inn; household; economy [wirtschaftlich economic, economical]; eine tolle Wirtschaft a frightful hubbub
In der Wirtschaft (inn) saß der Gastwirt und bewirtete (waited upon, entertained, regaled with food and drink) seine Gäste.
Eine alte Frau besorgte (oder führte) die Wirtschaft (household).
Er macht immer soviel Wirtschaft. He is always so fussy.

wischen wipe, erase [der Wischer eraser]
Er wischte sich den Schweiß von der Stirne.

**wissen, weiß, wußte, gewußt (*cog.* wit, wot) know (a fact) [wissentlich willful; die Wissenschaft science]
Wissen Sie, wo Herr Schmidt wohnt?
Er mag (will) nichts davon (von ihm) wissen. He does not care to have anything to do with it (with him).
Er weiß ihn zu behandeln. He knows how to treat him.

die **Witterung** (Wetter) weather; temperature of the air; atmospheric condition [wittern get wind of, scent, perceive]
Bei feuchter Witterung kann man sich leicht erkälten.
Er wittert Verrat. He suspects treason.

die **Witwe**, –n widow [der Witwer widower]

der **Witz**, –es, –e wit, joke [witzig witty, clever, humorous]; Witze reißen crack jokes
Das ist ja (eben) der Witz. That's just the point.

**wo where, at what place

wobei at; by; whereat; whereby
Du schreibst Briefe, wobei mir einfällt, daß auch ich welche zu schreiben habe.

die **Woche, –n week [wöchentlich weekly]; einmal die Woche (= in der Woche) once a week

wodurch through (what), by what (means)
Wodurch hat er sich den Preis erworben?

wofür for what *or* which; what for
Wofür halten Sie mich? What do you take me for?
Das Buch, wofür (= für das oder welches) du zwei Dollars bezahlt hast, . . .

wogegen against what; in return for which; whereas
Wogegen protestierst du denn?
Ich werde dir das Buch leihen, wogegen du mir einen kleinen Gefallen tun kannst.

woher wherefrom, from where, from what place, whence
Woher ist er gekommen? Ich weiß nicht, woher er gekommen ist.
Woher weißt du das? How (*or* whence) do you know that?

wohin where, whither, to what place; wohin auch wherever, no matter where *or* whither
Weißt du, wohin er gereist ist?

****wohl** (*often not translated*) well, indeed, in fact; probably; no doubt [das Wohl well-being, welfare]; wohl oder übel willy-nilly
Ich weiß es sehr wohl.
Jawohl! Yes, indeed!
Leben Sie wohl! Good-bye! Farewell!
Das wird wohl so sein. That's probably so.
Das tut ihm wohl. That does him good.
Er fühlt sich ganz wohl. He feels quite well.
Auf Ihr Wohl! (To) your health!

wohlhabend well-to-do, rich

der **Wohlstand,** –s (wohl + stehen) welfare; prosperity; wealth
Durch unermüdliche Arbeit war er endlich zum Wohlstand gelangt.

die **Wohltat,** –en (wohl + tun) benefit, comfort [wohltätig charitable; die Wohltätigkeit charity]; jemand(em) Wohltaten erweisen bestow benefits upon someone

***wohnen** live, reside [bewohnen inhabit]

die **Wohnstube,** –n = das Wohnzimmer sitting *or* living room

*die **Wohnung,** –en dwelling, residence; abode

das **Wohnzimmer,** –s = die Wohnstube

der **Wolf,** –es, ⸗e wolf; ein Rudel Wölfe a pack of wolves

*die **Wolke,** –n cloud

*die **Wolle** wool [wollen woolen]
Viel Geschrei und wenig Wolle (Sprichwort). Much ado about nothing.

****wollen,** will, wollte, gewollt oder wollen want (to); will; wish to, be willing to
Was wollen Sie von mir?
Wollen wir jetzt nach Hause gehen? Shall we go home now?
Er will fort (gehen *is understood*). He wants to go away.
Er will reich sein. He claims (wants) to be rich.
Er will damit sagen . . . By that he means to say . . .

womit with what, wherewith
Das sind die Instrumente, womit (= mit denen oder mit welchen) der Arzt operiert.
Womit kann ich Ihnen dienen? What can I do for you?

wonach after which, by what *or* which; whereupon
Wonach soll ich mich in diesem Falle richten (be guided by)?
Ich gab ihm das Geld, wonach (oder worauf) er sich herzlich bedankte.

die **Wonne,** –n bliss, delight, rapture [wonnig delightful, blissful]
Die Wonnen des Frühlings kann nur ein Dichter beschreiben.

woran at, by, of, on, to what, of what
Woran denkst du?
Woran liegt es (what is the cause), daß er nicht vorwärts kommt?
Woran erkennst du ihn? What do you recognize him by?
Jetzt weiß ich, woran ich bin. Now I know where I am at.
Das Buch, woran (= an dem oder an welchem) ich arbeite . . .

worauf to *or* for which, whereupon *or* on which; for what? upon what?
Der Lehrer stellte eine Frage, worauf (= auf die oder auf welche) die Schüler keine Antwort wußten.
Dort ist ein Stuhl, worauf (= auf den oder auf welchen) du dich setzen kannst.
Worauf warten Sie noch? What are you still waiting for?
Worauf (on what) schreiben die Schüler?

woraus out of, from what *or* which, wherefrom
Das Buch, woraus er vorliest, gehört mir.
Woraus schließen Sie das? From what do you infer that?

worin in what *or* which, wherein
Worin besteht die Schwierigkeit?
Das Haus, worin (= in dem oder in welchem) er wohnt, . . .

das **Wort, –es, –e oder ⁼er word; ein großes Wort führen brag, talk big
In diesem Wörterbuche sind tausend (a thousand) Wörter (*disconnected words*).
Darauf sprach er diese Worte. Thereupon he said these words (*connected words, sentences*).
Er ergreift das Wort. He takes the floor. He begins to speak.
Er kommt nicht zu Worte. He cannot get to speak.

das **Wörterbuch,** –es, ⁼er dictionary

wörtlich = Wort für Wort literally

worüber whereat, whereof; over, at, about, of *or* upon what *or* which (*rel. or inter.*)
Das ist es, worüber ich mich gewundert habe.
Sagen Sie mir doch, worüber Sie so herzlich gelacht haben!
Der Fluß, worüber (= über den oder welchen) die Brücke gebaut wird . . .

wovon of, from what *or* which
Wovon hat er vorher geredet? Ich habe vergessen, wovon er geredet hat.

wozu to what, for what (purpose), why
Wozu hättest du Lust? What would you like to do?
Wozu der Lärm? Why the noise?
Wozu hat er das viele Geld, wenn er wie ein Geizhals (miser) lebt?

der **Wucher,** –s usury [der Wucherer usurer; wuchern lend money at high interest; luxuriate, grow in abundance]
Der Wucherer treibt Wucher (practises usury).
Das Unkraut wuchert in unserem Garten. The weeds are overrunning our garden.

der **Wuchs**, –es (wachsen) figure, shape; von hohem, schlankem Wuchs of tall, slender stature

die **Wunde**, –n wound [wund sore, bruised; der Wundarzt surgeon]
Die tiefsten Wunden schlägt uns (inflicts upon us) das Leben.

das **Wunder**, –s, —, wonder, miracle
Auch heute noch geschehen Wunder.
Das nimmt mich wunder. I am astonished.
Ich dachte wunder, was es wäre. I expected to see (*or* hear) wonders.

*sich **wundern** wonder [wunderbar wonderful; wunderlich queer, quaint, odd, strange; wundervoll wonderful]
Worüber wunderst du dich?
Das wundert ihn. He is surprised at that.
Es soll mich doch wundern. I should be surprised.

der **Wunsch**, –es, ⸗e (wünschen) wish, desire [der Wunschzettel a list of gifts one wishes to receive]
Sein Wunsch wurde ihm erfüllt.

****wünschen** wish (for), desire [wünschenswert desirable]
Wünschen Sie sonst noch etwas? Do you wish for anything else?

*die **Würde**, –n (*cog.* worth) dignity
Er hält es für unter seiner Würde. He considers *or* thinks it beneath him. He would not stoop to it.

würdig worthy, deserving, dignified [würdigen appreciate; die Würdigkeit worthiness, merit; die Würdigung appreciation]
Er ist dessen (des Lobes, der Ehre) nicht würdig.

der **Wurf**, –es, ⸗e (werfen) throw, cast; litter

der **Wurm**, –es, ⸗er worm

die **Wurst**, ⸗e sausage

*die **Wurzel**, –n (*cog.* wort) root [wurzeln be rooted; take root]; Wurzel schlagen take root

die **Wüste**, –n (*cog.* waste) desert [wüst desolate, deserted; wild; confused]

die **Wut** fury, rage, anger [wüten rage; der Wutanfall fit *or* rage; wutschnaubend breathing rage, infuriated; in Wut geraten fly into a rage; seine Wut an jemand(em) auslassen vent one's fury on a person

wütend = sehr böse, sehr zornig very angry, raging mad
Er war wütend auf mich. He was very angry with me.

Z

die **Zahl**, –en (*cog.* tale) number [die Anzahl number, quantity; zahllos = unzählig innumerable; zahlreich numerous]
Die Zahl der jährlichen Besucher des Berliner Tiergartens ist sehr groß.

***zahlen** (*cog.* tale) pay [die Zahlung payment]
Wieviel Miete zahlen Sie für Ihre Wohnung?
Kellner, zahlen! Waiter, the bill please!

***zählen** (*cog.* tell) count, number
Er kann nicht (ein)mal bis drei zählen. He is extremely stupid.

***zahm** tame; G. wild wild [zähmen to tame]

***der Zahn, -es, ⸗e** tooth [die Zahnbürste toothbrush; der Zahnarzt dentist]

***zart** tender, delicate [die Zartheit, die Zärtlichkeit tenderness; zärtlich tender, affectionate]; zartes Fleisch, zarte Hände, zarte Stimme usw.
Sie schaute ihn zärtlich an.

zaubern practise magic, produce by magic [der Zauber magic, charm, spell; der Zauberer sorcerer, magician]; ihre bezaubernde Schönheit her bewitching beauty
Wo soll ich das Geld hernehmen? Zaubern kann ich nicht.

der Zaun, -es, ⸗e (*cog.* town) fence

die Zehe, -n toe; auf Zehenspitzen stehen stand on tiptoes

***das Zeichen, -s, —** (*cog.* token) = das Signal sign, signal; indication; symptom
Er winkt mit der Hand; er gibt uns das Zeichen, daß wir kommen sollen.
Ich bin meines Zeichens ein Tischler. I am a joiner by trade.

***zeichnen** draw, sketch; sign, affix [die Zeichnung drawing, sketch, design]
Der Maler hat uns eine schöne Zeichnung gemacht; er hat sie mit schwarzer Kreide (charcoal) gezeichnet.
Er hat für das Unternehmen eine große Summe gezeichnet (subscribed, underwrote).

****zeigen** show, point [der Zeigefinger forefinger, index finger; der Zeiger hand of a clock *or* watch]
Er zeigte auf mich. He pointed at me.
Das muß sich erst (noch) zeigen. That remains to be seen.

die Zeile, -n = die Linie line (of writing)
Er hat mir nur ein paar Zeilen geschrieben.

****die Zeit, -en** (*cog.* tide) time [allezeit always, at all times; neuzeitlich recent, of modern times; zeitig early; das Zeitwort verb]; zur Zeit at the time, at present; zu gleicher Zeit at the same time; zeit meines Lebens in all my born days; zuzeiten now and then
Die Zeit wird ihm lang. He is bored, is getting impatient.

***die Zeitung, -en** newspaper, journal

zerstören destroy, annihilate, ruin, wreck [die Zerstörung destruction, annihilation]
Das Leben zerstört oft unsre schönsten Hoffnungen.

zerstreuen (*cog.* strew) disperse, scatter, divert [die Zerstreuung diversion]; der zerstreute (absent-minded) Professor
Die welken (withered) Blätter wurden vom Winde nach allen Richtungen zerstreut.

das **Zeug**, –es, –e cloth, stuff, matter, material; belongings
Dieser Anzug ist aus schlechtem Zeug (= Stoff) gemacht.
Das ist ja dummes Zeug! That's nonsense!

*der **Zeuge**, –n, –n witness [zeugen bear witness, testify; engender; das Zeugnis testimony, evidence; school report]
Die Zeugen wurden vors Gericht geladen (were summoned to appear before the court).

*die **Ziege**, –n (nanny) goat

ziehen, zog, gezogen (h. u. s.) draw, pull; raise, cultivate; go, move, change lodging
Das Pferd zieht den Wagen.
Ich habe mir einen Zahn ziehen lassen. I had a tooth pulled.
Er zieht (goes, travels) von Ort zu Ort.
Er zieht (raises) Blumen und Gemüse in seinem Garten.
Es zieht hier. There is a draft here.

*das **Ziel**, –es, –e (*cog.* till = cultivate, be busy) aim, target; goal, destination [zielen aim at; allude to]
Mein Lebensziel ist Arzt zu werden.
Er zielte lange, aber er traf das Ziel nicht.

***ziemlich** fairly; considerable
Du schreibst ziemlich gut.
Er gibt ziemliche Summen Geldes aus.

das **Zimmer, –s, — (*cog.* timber) room [der Zimmermann carpenter]

der **Zins**, –es, –en interest; Geld auf Zinsen leihen lend money on interest

zittern = beben tremble, shiver
Mir zittern alle Glieder. I am shaking in every limb.
Er zittert vor Kälte, vor Angst usw.

zögern (*cog.* tug) tarry, hesitate [verzögern delay]
Als ich ihn befragte, zögerte er mit der Antwort.

der **Zoll**, –es, —, inch; der Zoll, –es, ⸗e toll, duty
Als Maß hat der Fuß zwölf Zoll.
Bei der Einfuhr von Waren muß man Zoll entrichten (pay duty).

der **Zorn**, –es = die Wut anger, ire, wrath [zornig angry]
Er konnte vor Zorn nicht reden, so zornig war er auf mich.

****zu** (*dat.*) to, toward; (*adv.*) closed, shut; (*also verbal particle*); nach der Tür zu toward the door; zu seinen Füßen at his feet; zur Kirche, Schule to church, school; zu Fuß on foot; zu Hause at home
Komm heute abend zu mir.
Die Tür ist zu (closed).

Er wünscht dich zu sprechen. He wants to see you (have an interview).
Er geht (kommt, läuft, rennt) auf ihn zu. He walks (comes, runs, rushes) toward him.

zu too (= overly)
Du hast für das Buch zu viel bezahlt.

zu=bringen (a, a) = verbringen pass, spend
Er brachte die Nacht unter freiem Himmel (open air) zu.

der **Zucker, –s sugar

zudem = außerdem, überdies besides, moreover
Wir sind müde und zudem sind wir hungrig.

zuerst at first, first; G. zuletzt last, at last
Zuerst putze ich mir die Zähne und dann wasche ich mir das Gesicht und die Hände.

*der **Zufall**, –s, ⸗e chance, accident [zufällig accidental]
Wir haben uns durch bloßen Zufall (= ganz zufällig) kennen gelernt.

zufolge (*gen. before or dat. after a noun*) according to, in consequence of; zufolge seines Versprechens = seinem Versprechen zufolge

***zufrieden** (Frieden) content, contented, satisfied [die Zufriedenheit contentment, satisfaction]
Er ist mit sich und der Welt zufrieden.
Er gab sich (ist) damit zufrieden. He was (is) content with it.

*der **Zug**, –es, ⸗e (ziehen) pull, tug; draught; trait; train [der Atemzug breathing; der Charakterzug trait of character; der Eisenbahnzug railroad train; der Feldzug field expedition; der Gesichtszug feature (of the face); der Güterzug freight train; der Personenzug passenger train; der Luftzug current of air]; im besten Zuge sein be in full swing *or* on the go; in Zug bringen set in motion; einen Zug aus der Pfeife tun take a puff; das Glas auf einen Zug leeren empty the glass at one draught; den Zug verfehlen miss the train; in den letzten Zügen liegen be breathing one's last

der **Zugang**, –s, ⸗e access; admittance; entrance [zugänglich accessible, approachable]

zu=geben (i, a, e) = gestehen admit, concede; add [die Zugabe something given in addition *or* thrown in extra]
Er hat zugegeben, daß er im Unrecht war.
„Ich gebe Ihnen noch einen Suppenknochen dazu," sagte der Fleischer.

zu=gehen (i, a) (s.) move on; happen, occur; close, shut
Wir müssen etwas schneller zugehen, wenn wir noch vor Abend ankommen wollen.
Wie geht es zu, daß Sie nichts davon gehört haben?
Die Tür ging plötzlich von selbst zu.

der **Zügel**, –s, —, rein, bridle [zügeln curb]
Der Reiter ergriff die Zügel des Pferdes.
Der Mensch soll seine Leidenschaften zügeln.

zu=gestehen (a, a) = gestehen, zu=geben concede, admit [das Zugeständnis concession, admission]
Seine Forderungen (claims) wurden ihm zugestanden.

***zugleich** = zur selben Zeit at the same time, simultaneously
Sie standen alle zugleich auf.
Das Wetter war kalt und naß zugleich.

zu=knöpfen *see* Knopf

*die **Zukunft** (kommen) future; G. die Vergangenheit past time; die Gegenwart present time [zukünftig, künftig future, in the future]
Dieser junge Mann hat eine glänzende Zukunft.

zu=lassen (ä, ie, a) admit, concede; leave closed [zulässig permissible; die Zulassung admission]; die Tür zulassen (leave shut)
Er wurde zur Prüfung nicht zugelassen.
Meine Mittel lassen es nicht zu (do not allow it).

zuleide
Ich tue ihm nichts zuleide. I am not harming him, shall not injure him.

zuletzt at last, lastly; G. zuerst first
Zuletzt wußte er nicht mehr, was er sagen sollte (what to say).

***zu=machen** = schließen close, shut; G. auf=machen, öffnen open
Machen Sie die Tür zu, es zieht (there is a draught).

zumal = da, weil because, since, particularly
Ich kann ihm das Buch nicht leihen, zumal ich es selbst noch nicht gelesen habe.

zumute (Mut)
Es ist (wird) ihm schlecht zumute. He feels (begins to feel) badly (ill).

***zunächst** first of all
Zunächst möchte ich über eine andere Sache reden.

die **Zunahme** (zu=nehmen) increase, growth

zu=nehmen (i, a, o) increase, grow
Seitdem ich ihn zuletzt sah, hat er an Gewicht zugenommen (gained).
Der Mond nimmt erst zu (waxes) und dann nimmt er wieder ab (wanes).

zünden = an=zünden light, set fire to; eine zündende Rede a fiery speech

die **Zunge**, –n tongue; eine geläufige Zunge a glib tongue
Ich hatte das Wort auf der Zunge (on the tip of my tongue).
Sie trägt das Herz auf der Zunge. She wears her heart on her sleeve.

zurecht aright, in order; in time (*mostly with verbs*)
Ich kann mich hier nicht zurechtfinden (find my way).
Er macht (rückt, setzt) sich zurecht. He gets ready (composes himself, makes himself comfortable).
Er streicht (schneidert, zimmert) es zurecht. He smoothes it out (fixes *or* tailors it, gets it into shape, *i.e.* does a piece of carpentry).

zürnen (Zorn) = ärgerlich oder wütend sein be angry
Er zürnte mit sich und der ganzen Welt.

****zurück** back, behind [zurück=behalten, zurück=bleiben, zurück=geben usw.]
Er ging zu Fuß hin und zurück.
Er ist noch nicht zurück. He has not returned (is not back) yet.
Meine Uhr bleibt zurück. My watch is slow.

zurückgezogen retired
Er lebte sehr zurückgezogen.

***zurück=kehren** (s.) = zurück=kommen turn back, return
Nach mehreren Stunden kehrte er müde und hungrig zurück.

zurück=weichen (i, i) (s.) fall back, recede

zurück=weisen (ie, ie) refuse, reject

****zusammen** = beisammen together; G. auseinander apart

der **Zusammenhang**, –s, ⸗e connection [zusammen=hängen be connected; zusammenhängend connected, coherent]
Ich will Ihnen den ganzen Zusammenhang erklären. I will explain to you the whole matter.

die **Zusammenkunft**, ⸗e (kommen) meeting; interview
Wir hatten eine Zusammenkunft verabredet (arranged for a meeting).

zusammen=setzen = zusammen=stellen put together; compose; compound [die Zusammensetzung compounding, composition, putting together]
Man kann eine Uhr leicht auseinandernehmen, aber es ist schwer, sie wieder zusammenzusetzen.

der **Zuschauer**, –s, —, spectator, onlooker [zu=schauen = zu=sehen look on]
Ich habe an dem Wettlauf (race) nicht teilgenommen; ich war nur Zuschauer.

zu=sehen (ie, a, e) = zu=schauen watch, look on, be a spectator
Sehen Sie bitte zu (see to it, take care), daß nichts passiert.
Sie sahen zu, wie er es machte. They watched how he did it.

*der **Zustand**, –s, ⸗e (stehen) condition, state of affairs
Dieses Automobil ist in einem schlechten Zustand.
Er bringt es (kommt damit) zustande. He accomplishes it, manages it.

zustatten kommen *see* vonstatten

zu=stimmen agree, consent [die Zustimmung consent]
Ich kann Ihrer Ansicht nicht zustimmen (agree with your opinion).

zu=stoßen (ö, ie, o) (h. u. s.) happen, befall; push to, close (the door)
Wenn ihm etwas zustößt . . . If anything happens to him . . .
Er stieß die Tür zu.

zu=trauen consider capable of; trust, have confidence [das Zutrauen confidence]

Er traute ihm nicht viel Gutes zu (had no great confidence in him).
Er genießt das Zutrauen seiner Mitbürger. He enjoys the confidence of his fellow citizens.

zuverlässig = verläßlich reliable, dependable; trustworthy [die Zuverlässigkeit reliability]
Ich weiß das aus einer zuverlässigen Quelle.

die **Zuversicht** reliance, confidence [zuversichtlich with confidence]
Sie dürfen mit Zuversicht darauf rechnen. You may confidently rely upon it.

zuvor = früher before, previously; ahead; at first [zuvor=kommen get ahead of someone; zuvorkommend obliging]
Ich habe den Mann nie zuvor gesehen.

zuweilen (Weile) = von Zeit zu Zeit, zuzeiten, dann und wann occasionally
Er besucht uns zuweilen, aber nicht oft.

zuwider contrary to; distasteful; objectionable
Er handelt seinem Versprechen zuwider.
Sein albernes Benehmen ist mir zuwider. His silly behavior disgusts me.

der **Zwang**, –es (zwingen) (*cog.* twinge) compulsion, force; pressure

***zwar** to be sure, indeed
Ich kenne ihn zwar nicht, doch scheint er mir ein ehrlicher Mann zu sein.

*der **Zweck**, –es, –e = das Ziel purpose, aim, object [zwecklos useless, to no purpose; zwecks (*gen.*) for the purpose of]
Zu welchem Zweck sind Sie hierher gekommen?
Es hat keinen Zweck, noch länger zu warten. There is no object (use) in waiting any longer.

zweckmäßig expedient, suitable, fitted for the purpose [die Zweckmäßigkeit suitableness, usefulness]

zweideutig (deuten) ambiguous [die Zweideutigkeit ambiguity]; eine zweideutige Antwort, ein zweideutiges Benehmen

zweierlei (*see* –erlei) two different things, of two sorts; auf zweierlei Art in two different ways

zweifach double [einfach, dreifach, vielfach usw.]

*der **Zweifel**, –s, —, doubt [zweifelhaft doubtful, dubious; zweifeln doubt; verzweifeln despair]
Sie haben ohne Zweifel vollständig recht.
Er zweifelt daran. He doubts it.

*der **Zweig**, –es, –e twig
Ein Zweig ist kleiner als ein Ast.

der **Zwerg**, –es, –e dwarf

***zwingen**, zwang, gezwungen (*cog.* twinge) force, compel
Niemand kann dich zwingen, gegen dein Gewissen zu handeln.

****zwischen** (*dat. or acc.*) (*cog.* betwixt) between